PHOTOGRAPHIE
POUR TOUS

Aspect technique

Francine Girard

MODULO • GRIFFON

De la même auteure

Apprécier l'œuvre d'art, Montréal, Éditions de l'Homme, 1995.
Tante-Lo est partie, Montréal, Boréal (Boréal Junior 10), 1991.
Les assemblées délibérantes, Montréal, Éditions de l'Homme, 1987.
Réussir son diaporama, Québec, Sainte-Foy, Le Griffon d'argile, 1985.
Apprendre à communiquer en public, 2e éd., Sainte-Foy, Le Griffon d'argile, 1985.

Déjà paru sous le titre

La photographie. Approche pratique

Coordination de l'édition et **révision linguistique :** Dominique Johnson
Graphisme de la couverture : Charles Lessard   **Grille typographique :** Pouliot / Guay, graphistes
Mise en page : Charles Lessard   **Illustrations :** Bertrand Lachance

© Modulo – Griffon, 2003
Membre du Groupe Modulo
233, avenue Dunbar
Mont-Royal (Québec) H3P 2H4
Canada
(514) 738-9818 • 1 888 738-9818
Télécopieur : (514) 738-5838 • 1 888 273-5247
www.groupemodulo.com

Photographie pour tous. Aspect technique
ISBN 2-89443-204-6

Nous reconnaissons l'aide financière du gouvernement du Canada par l'entremise du Programme d'aide au développement de l'industrie de l'édition (PADIE) pour nos activités d'édition.

Gouvernement du Québec – Programme de crédit d'impôt pour l'édition de livres – Gestion SODEC

Dépôt légal 2003
Bibliothèque nationale du Canada
Bibliothèque nationale du Québec

Imprimé au Canada

2 3 4 5   10 09 08 07 06

AVANT-PROPOS

AVANT-PROPOS

Plus de dix ans ont passé depuis la parution de la première édition de ce livre d'initiation à la photographie. Le titre même a changé... On dirait qu'un siècle s'est écoulé ! La première version du texte avait été tapée à la machine à écrire et les photos qui l'illustraient étaient en noir et blanc exclusivement. Le texte de la présente réédition a évidemment été tapé au clavier de l'ordinateur et une grande partie des photographies en couleurs qui l'illustrent ont été réalisées à l'aide d'un appareil numérique.

Une édition revue et enrichie s'imposait; il fallait tenir compte non seulement de la révolution numérique, mais aussi des changements importants apportés aux posemètres et aux flashes, pour ne nommer que ceux-là.

Toutefois, malgré les nombreuses innovations dans le domaine de la photographie, les notions de base restent les mêmes. Même plus court et plus léger, un objectif reste un objectif, et le rapport entre la vitesse d'obturation et l'ouverture du diaphragme est identique à ce qu'il était au début du XXe siècle. L'organisation du livre est donc restée telle qu'elle était. Les améliorations tiennent à certaines explications ou certains ajouts en rapport avec les nouvelles avancées technologiques dont la photographie numérique, qui n'existait pas à l'époque de la première édition.

Les appareils numériques, à beaucoup d'égards, fonctionnent de la même manière que les boîtiers munis de la pellicule traditionnelle. La profondeur de champ est la même, que la photo ait été enregistrée sur pellicule ou par un capteur. Ces appareils ont toutefois bénéficié de la miniaturisation et du perfectionnement de la technologie, de sorte qu'ils se présentent souvent avec de très nombreuses fonctions dont il est question partout où il est nécessaire de le faire.

Je voudrais ici saluer tous ceux, les deux Sébastien, Sophie, Jacques, Fabienne, Lynn, Frodon et surtout Stéphanie, qui ont accepté, avec beaucoup de patience, de servir de modèles pour mes nombreuses expérimentations photographiques. Je les en remercie chaleureusement. Bonne lecture !

TABLE DES MATIÈRES

INTRODUCTION

INTRODUCTION

La situation actuelle dans le domaine de la photographie dite «pour tous» souffre d'un curieux paradoxe. D'une part les appareils photo, prodiges incomparables de la technologie et de l'informatique contemporaines, proposent de multiples fonctions et réglages très complexes: «L'appareil peut tout faire», disent-ils. D'autre part, la vaste publicité entourant ces appareils insiste sur leur simplicité d'utilisation. La formule lapidaire «Plus complet et plus simple que vous ne l'ayez jamais espéré» résume bien cette contradiction: simplicité et complexité réunies!

Comment est-ce possible? Voyons d'abord l'objet en question: il offre trois dispositifs autofocus, sept modes d'exposition différents, une séquence de «bracketing» automatique, la synchro lente du flash, une commande de mémorisation de l'exposition, etc. Observons ensuite son propriétaire: fier de sa nouvelle acquisition, il sélectionne le mode P (programme) et n'a plus qu'à appuyer sur le déclencheur comme à la belle époque des petites boîtes Instamatic.

Ces appareils peuvent évidemment être utilisés en mode entièrement automatique: ils ont été ainsi conçus pour nous faciliter la vie, la publicité se charge de nous le rappeler. Il est tout de même triste de savoir que l'on sous-exploite un coûteux instrument aux innombrables possibilités, tout comme il est frustrant de ne pas comprendre le pourquoi et le comment de tous les chiffres qui y figurent et les boutons qui y sont intégrés. C'est un peu comme si l'on ne se servait d'une voiture sport dernier cri que pour aller chez le dépanneur du coin, ou encore d'un four à micro-ondes que pour réchauffer sa soupe.

Le présent ouvrage vise justement à combler cette lacune. Son objectif général est d'amener l'amateur à se sentir à l'aise avec son appareil et à s'exercer à ses principaux maniements. Il est écrit pour ceux qui viennent de se procurer un nouvel appareil numérique ou argentique; il les aidera à se familiariser avec lui. Mais il s'adresse aussi à tous ceux qui possèdent un appareil depuis quelque temps et qui ont l'impression de ne pas en avoir exploré toutes les possibilités. Nous avons souvent rencontré, dans le cadre de cours d'initiation à la photographie, des personnes qui pratiquaient ce loisir depuis deux, cinq, voire dix ans, et qui ignoraient tout de certaines notions fondamentales en photographie, comme celle de profondeur de champ. Ce livre remédiera à cette situation. Les débutants s'initieront à cet art passionnant; les plus avancés seront surpris des découvertes qu'ils feront.

L'organisation du livre a été conçue selon le principe du processus: l'apprentissage s'y fait graduellement, imbriquant théorie et pratique. Le lecteur est amené à franchir successivement diverses étapes pour finalement parvenir à la maîtrise complète de son appareil. Rien n'interdit toutefois que l'on y vagabonde au gré d'un intérêt ou d'un problème particulier; le caractère organique de la progression de l'ensemble ne gêne pas l'autonomie de chacune des sections où l'on peut immédiatement aller chercher la réponse à une question se faisant trop pressante.

Les neuf chapitres sont regroupés en trois grandes parties centrées sur l'appareil photo: sa connaissance, son utilisation et ses compléments. Les renseignements théoriques sont réduits au minimum et rédigés en fonction des exercices pratiques, l'expérience étant en ce domaine le seul maître vraiment valable. Pour bien comprendre et assimiler, il ne suffit pas de lire et de regarder les images produites par d'autres; les nouvelles connaissances ne seront vraiment intégrées qu'après la réalisation personnelle de photos où l'on peut constater le résultat de réglages qu'on a calculés et effectués soi-même. C'est la même différence qu'entre lire une recette culinaire et préparer le plat.

Terminons sur cette recommandation: il faut lire avec beaucoup d'attention les textes préliminaires et exécuter consciencieusement chacun des exercices proposés dans les fiches pratiques. Ils ont été gradués de sorte que le passage de l'un à l'autre se fasse aisément. S'il arrivait, malgré tous les efforts, qu'une notion reste obscure ou qu'une photo ne donne pas le résultat attendu, il ne faut surtout pas hésiter à consulter un spécialiste: le marchand de matériel photographique, l'employé du laboratoire photo du quartier, un bénévole du club de photo de la région ou l'auteure du livre, aux soins de l'éditeur.

Bonnes photos!

PREMIÈRE PARTIE
OBSERVATION DE L'APPAREIL PHOTO

I est habituellement recommandé de réfléchir avant d'agir. Vos premiers pas dans l'apprentissage de la photographie vous amèneront donc à observer votre appareil photo afin de faire connaissance avec ses multiples et complexes composantes.

Avis aux impatients : *Tout vient à point à qui sait attendre*, dit le proverbe. Si vous effectuez consciencieusement les premiers exercices, ce qui suivra sera plus facile et plus agréable. Nous avons tous hâte de prendre, et surtout de voir, nos premières photos. Mais, comme l'enfant qui trépigne d'essayer son nouveau jouet et ne prend pas le temps de s'en faire expliquer le fonctionnement, on risque d'être fort déçu de nos premiers résultats si, d'abord, on n'a pas pris le temps de bien examiner tous les dispositifs nécessaires à une prise de vues correcte.

À ce stade-ci, il vous faudra faire confiance à l'organisation d'ensemble du livre. Vous devrez, dans les trois premiers chapitres, assimiler certaines notions sans en saisir immédiatement toutes les implications. Par exemple, on définira d'abord le diaphragme et la vitesse d'obturation ; leur réglage, en vue de l'exposition, ne sera en revanche expliqué que dans la deuxième partie. C'est un peu comme si on vous décrivait les diverses composantes du jeu de Monopoly (les cartes de chance, les maisons et les hôtels, la monnaie de papier, etc.) en vue de mieux vous présenter ensuite les règles du jeu.

Pour bien assimiler le contenu des trois chapitres de cette première partie, je vous suggère de placer votre appareil bien en vue, devant vous. Chaque fois que votre lecture vous amènera à le faire, prenez votre appareil dans les mains, repérez l'élément dont il est question puis remplissez la section appropriée de la fiche pratique correspondante. Les fiches pratiques 1, 2 et 3 figurent à la fin de leur chapitre respectif.

1

Les parties essentielles de l'appareil photo

On peut faire des photos à l'aide d'une simple boîte percée d'un trou d'épingle, le sténopé. L'appareil photographique à sténopé (en anglais *pinhole camera*) met en application le principe de la *camera obscura* qui veut qu'un petit trou pratiqué dans une des extrémités d'une boîte noire permette de voir, sur le côté opposé, l'image projetée, inversée, de la scène qui se situe à l'extérieur devant le trou. Cet effet d'optique est connu depuis longtemps – Aristote et Léonard de Vinci l'on décrit – et a été appliqué par des artistes de la Renaissance pour calquer le plus fidèlement possible le réel. Mais, si le principe physique était connu, il fallut toutefois attendre le XIXe siècle pour pouvoir fixer l'image projetée ; l'invention de la photographie résulte de la découverte du procédé chimique le permettant. Son histoire n'est ensuite qu'une série de perfectionnements de l'appareil de prise de vues et du support retenant l'image. Mais il suffit de taper le mot « sténopé » dans un moteur de recherche dans Internet pour constater que beaucoup d'amateurs utilisent encore le procédé dans son application la plus élémentaire et, avec de la persévérance, obtiennent parfois des résultats remarquables.

De nos jours, nous sommes habitués à plus de confort et les fabricants nous proposent régulièrement des appareils photo de plus en plus complexes et perfectionnés. Plusieurs des derniers développements technologiques nous apparaissant maintenant indispensables, la distinction entre organes essentiels et organes auxiliaires des chapitres 1 et 2 apparaîtra donc quelque peu artificielle, à moins que l'on n'accepte, à des fins pratiques, l'appellation d'« auxiliaires » pour des éléments apparus comme des perfectionnements de l'appareil photo.

LES TYPES D'APPAREILS PHOTO

On trouve sur le marché deux types d'appareils photo : l'appareil argentique et l'appareil numérique.

L'appareil photo argentique

L'appareil photo argentique capte les images sur une mince bande de celluloïd ou d'acétate de cellulose, souple, supportant une couche de cristaux d'halogénure d'argent sensibles à la lumière. C'est la pellicule photographique (appelée également «film photographique») inventée à la fin du XIXe siècle et utilisée dans une très grande variété d'appareils d'allure dissemblable, mais fonctionnant selon le même principe. On classera ces appareils selon la dimension des films qu'ils reçoivent.

Les appareils de moyen et de grand format sont coûteux et réservés à l'usage des professionnels. En studio, le portraitiste se sert souvent d'un appareil muni d'un film qui donne des négatifs carrés mesurant 6 cm (2 $\frac{1}{4}$ pouces*) de côté. Mais les pellicules peuvent être plus grandes encore et atteindre 20 x 25 cm. Elles sont chargées dans une chambre imposante, lourde à transporter, mais qui donne des négatifs de qualité supérieure, vu leur dimension.

À l'autre extrémité de l'échelle des grandeurs de pellicule se situent les plus étroites. On plaçait ces pellicules dans des appareils de petit format à peu près abandonnés de nos jours, mais qui ont fait le bonheur des amateurs non exigeants et des enfants, avec leurs films mesurant 13 x 17 mm ou même 8 x 10 mm. L'ancêtre et le premier de la lignée fut le fameux Instamatic de Kodak. Il connut un tel succès que son nom est encore employé comme terme générique pour désigner un appareil simple, peu coûteux et dont on saisit rapidement le principe de fonctionnement.

---

* À titre informatif, 1 pouce correspond à 2,5 centimètres environ.

La pellicule 35 mm est la plus répandue. Son format de 24 x 36 mm permet des agrandissements de qualité allant jusqu'à l'affiche de 50 x 60 cm. On peut la charger dans une gamme d'appareils de tous les prix, allant du jetable au reflex à objectif interchangeable. C'est ce dernier qu'utilisent beaucoup de débutants, les amateurs expérimentés et les photographes professionnels. L'ergonomie de son boîtier, la facilité de son maniement ainsi que l'abondance des accessoires pouvant s'y fixer en font l'appareil le plus populaire. Sa plus grande qualité réside toutefois dans le fait qu'il offre à l'utilisateur la possibilité d'effectuer des réglages personnels, contrairement aux nombreux appareils compacts 35 mm non reflex qui, malgré leur configuration parfois très complexe, ne permettent aucun contrôle au photographe.

L'appareil photo numérique

Au point de vue optique, l'appareil photo numérique est identique à l'appareil argentique. C'est par la façon dont il enregistre les images qu'il diffère. Le film est remplacé par des capteurs photosensibles (sensibles à la lumière), les CCD (de l'anglais *charged coupled device*), qui transforment la lumière en un signal électrique, numérisé par un processeur intégré à l'appareil photo. Les images sont alors stockées sous forme numérique sur un support informatique (carte de mémoire). Elles sont immédiatement disponibles pour être visionnées sur l'appareil photo ou sur l'écran d'un téléviseur ou d'un ordinateur.

LES PARTIES DE L'APPAREIL

Le boîtier

Le boîtier, corps de l'appareil, joue un double rôle. C'est d'abord une chambre noire portative parfaitement étanche à la lumière et qui, dans le système argentique, contient le film. Le boîtier sert également de support à l'objectif et aux nombreux mécanismes réglant la prise de photos.

L'objectif

Situé sur le devant du boîtier, l'objectif est l'organe par lequel l'appareil « voit ». Il est formé de disques de verre ou de plastique (les lentilles). Au moyen des divers dispositifs de réglage dont il est muni, l'objectif laisse pénétrer dans l'appareil une certaine quantité de lumière. En faisant converger cette lumière, les lentilles projettent l'image du sujet sur la paroi arrière de l'appareil, là où il est enregistré (FIGURE 1.1). La convergence des rayons lumineux se fait selon des principes de la physique optique et inverse l'image comme c'était le cas pour la *camera obscura*. Le nombre de lentilles, leur configuration (courbure, convexité, concavité) de même que leur disposition dans l'objectif permettent des combinaisons multiples dont il résulte des types d'objectifs répondant à autant de besoins. Nous en présentons les principaux au chapitre 2.

FIGURE 1.1
L'appareil « voit »
par l'objectif.

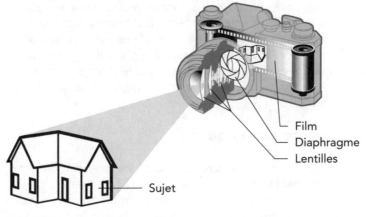

Film
Diaphragme
Lentilles

Sujet

Le diaphragme

Pour prendre une photo, la lumière doit pénétrer dans l'appareil. À l'intérieur de l'objectif est logé le diaphragme, disque opaque percé d'une ouverture réglable, qui permet de doser cette lumière. Le diaphragme est composé d'une série de lamelles métalliques qui se chevauchent et dont le fonctionnement ressemble à celui de l'iris de l'œil : il peut être grand ouvert, pour laisser passer beaucoup de lumière, ou presque fermé, n'autorisant qu'un mince rayon lumineux. Il peut évidemment être réglé à n'importe quelle ouverture entre ces deux extrêmes. On dit communément « ouvrir » et « fermer » le diaphragme, mais il est bon de retenir que ce dernier n'est jamais complètement clos et qu'il reste toujours une ouverture, aussi petite soit-elle.

L'ouverture du diaphragme est indiquée par un chiffre précédé du signe « f ». Il faut se souvenir de ceci : **plus le chiffre est élevé, plus l'ouverture est petite**.

Les graduations de diaphragme sont standard et l'on trouve les mêmes sur tous les objectifs. Les plus courantes sont (FIGURE 1.2) :

| f/1.4 | f/2 | f/2.8 | f/4 | f/5.6 | f/8 | f/11 | f/16 | f/22 |

L'ouverture maximale est parfois une valeur intermédiaire, par exemple, f/3.5, f/1.7 ou f/1.8. La fabrication d'une grande ouverture de diaphragme est d'une plus grande complexité technologique que celle d'une petite ouverture, de sorte que les fabricants limitent l'ouverture du diaphragme des objectifs qu'ils veulent vendre à un prix plus abordable ; ainsi, plutôt que d'offrir f/2.8, par exemple, on aura f/3.5 comme ouverture maximale.

Examinez bien votre objectif. Les chiffres sont inscrits sur l'une des bagues mobiles ou encore s'affichent sur un petit écran à cristaux liquides. Si vous séparez l'objectif du boîtier et manipulez la bague des diaphragmes, vous verrez peut-être (tous les objectifs ne le permettent pas) l'ouverture du diaphragme s'agrandir ou rapetisser. La bague peut également parfois être réglée entre chacun des crans du diaphragme. Si vos ouvertures s'affichent sur un écran, ces demi-crans sont désignés par des chiffres intermédiaires à ceux qui sont listés ci-dessus (4.5, 6.7, 9.5, 13, 19, etc.). Allez à la fiche pratique numéro 1 (p. 15) et inscrivez les ouvertures standard de votre diaphragme.

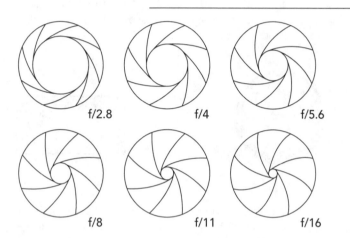

f/2.8   f/4   f/5.6

f/8   f/11   f/16

FIGURE 1.2
Le diaphragme

L'obturateur

L'obturateur est un dispositif mobile recouvrant l'ouverture du diaphragme. Il permet de fixer le temps durant lequel la lumière pénétrera dans l'ouverture du diaphragme. Sur les appareils modernes, il est composé de deux rideaux (de métal ou de tissu) qui se déplacent parallèlement devant le film (de gauche à droite ou de bas en haut). L'écart entre les extrémités des deux rideaux forme une fente qui se déplace devant le film lorsqu'on appuie sur le déclencheur. La largeur de la fente est réglée par le bouton de sélection des vitesses. Plus la vitesse est faible, plus la fente est large, laissant ainsi pénétrer davantage de lumière. Les vitesses d'obturation, appelées aussi «temps d'ouverture» ou «temps de pose», sont généralement indiquées par les chiffres suivants (FIGURE 1.3):

1	2	4	8	15	30	60	125	250	500	1000	2000

Ces nombres correspondent à des fractions de seconde. Par exemple, 60 = 1/60 s, 500 = 1/500 s. Notez que, plus le chiffre est élevé, plus le temps d'ouverture est bref, 1/500 s étant un temps beaucoup plus court que 1/15 s. Si vous craignez de l'oublier, faites l'analogie avec une tarte divisée en plusieurs pointes. Votre portion sera plus grosse si l'on vous donne 1/4 de la tarte que si l'on vous en sert 1/500ᵉ. Ainsi, 1/1000 s est beaucoup plus petit, plus bref en fait, que 1/30 s. Il entrera donc moins de lumière dans l'objectif durant 1/1000 s que durant 1/30 s.

Sur les écrans on retrouve souvent, comme c'était le cas pour les ouvertures du diaphragme, des chiffres indiquant les demi-crans, vitesses intermédiaires entre celles dites « standard ». Par exemple, 1/45 se situera entre 1/30 et 1/60, 1/180 indiquera la demie entre 1/125 et 1/250, 1/1500 entre 1/1000 et 1/2000, etc.

Il existe des vitesses lentes et des vitesses rapides, 1/60 s étant la vitesse charnière entre elles. Au-dessus (1/125, 1/250, 1/500…), ce sont des vitesses rapides allant jusqu'à 1/8000 s sur certains appareils. Au-dessous (1/30, 1/15, 1/8…), les vitesses sont considérées comme lentes.

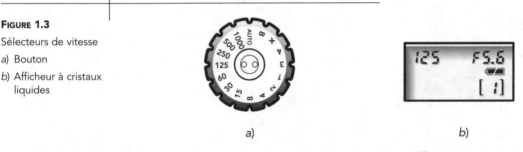

FIGURE 1.3

Sélecteurs de vitesse

a) Bouton

b) Afficheur à cristaux liquides

a)   b)

Beaucoup d'appareils comportent, en plus des chiffres indiqués précédemment et après le « 1 » correspondant à une seconde, une série de chiffres qui se répètent, comme 2, 4 et 8. Sur le bouton du sélecteur des vitesses, ils seront la plupart du temps d'une couleur différente. Sur l'écran afficheur, ils sont suivis d'un « s » (pour « seconde ») et iront souvent jusqu'à 30. Ces chiffres répétés équivalent à des secondes entières. Les vitesses longues sont les plus lentes.

La lettre « X » ou encore un chiffre de couleur différente (p. ex. « 60 » rouge) indiquent la vitesse de synchronisation du flash (voir au chapitre 8). La lettre « B », pour sa part, ou encore l'affichage de « bulb » sur l'écran lorsque le posemètre est en mode manuel, désigne un temps de pose indéfini, l'obturateur restant ouvert tant que la pression est maintenue sur le déclencheur. Cela sera utile pour des temps d'exposition plus longs que la vitesse la plus lente du sélecteur de vitesses dans les cas de photographie de nuit, notamment.

Observez maintenant le sélecteur des vitesses de votre appareil photo (bouton ou écran afficheur à cristaux liquides) et inscrivez sur la fiche pratique chacun des chiffres qui y figurent. Notez ensuite à côté la valeur réelle de chacun (p. ex. 125 = 1/125 s). Prenez ensuite votre appareil dans les mains et faites fonctionner le déclencheur à chacune des vitesses en écoutant bien, dans le cas des appareils argentiques reflex, le son qui se produit. Vous ferez facilement la différence entre les vitesses rapides et les vitesses lentes.

Le viseur

Le viseur est une petite fenêtre qui permet au photographe de voir, lorsqu'il pointe son appareil vers un sujet, les limites du champ couvert par l'objectif. Il lui sert à cadrer à son goût la scène qu'il veut retrouver sur sa photo.

Il existe deux systèmes de visée (FIGURE 1.4). Celui des appareils reflex mono-objectifs (en anglais SLR pour *single lens reflex*) permet de voir exactement la scène embrassée par l'objectif : la lumière qui pénètre par l'objectif est réfléchie dans un miroir qui la dirige vers un ensemble de prismes qui redressent l'image et la dirigent vers le viseur où l'on peut la voir. Ces appareils sont facilement reconnaissables par la protubérance, logeant le pentaprisme, qui fait saillie sur leur dessus.

Dans l'autre système, le viseur est indépendant de l'objectif. C'est une ouverture par laquelle on voit directement le sujet. À faible distance, le décalage entre le viseur et l'objectif peut causer des problèmes de parallaxe parce que l'image vue dans le viseur n'est pas tout à fait identique à celle enregistrée sur le film. Il peut en résulter des têtes coupées ou des cadrages imprévus.

En plus du viseur, la plupart des appareils numériques disposent d'un moniteur montrant l'image passant par l'objectif ainsi que la photo qui vient d'être prise.

Un coup d'œil rapide vous permettra de connaître le système de visée dont votre appareil est muni. Inscrivez-le sur la fiche pratique.

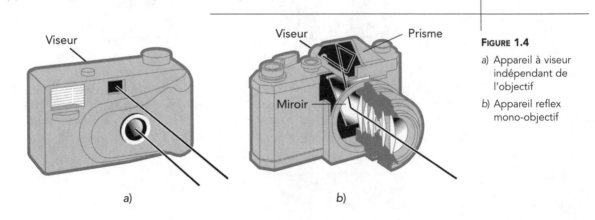

a)   b)

FIGURE 1.4

a) Appareil à viseur indépendant de l'objectif

b) Appareil reflex mono-objectif

Le mécanisme de mise au point

La netteté d'une photographie dépend du mécanisme de mise au point qui doit être réglé en fonction de la distance séparant l'appareil du sujet. Si ce dernier est à trois mètres de l'appareil, la photo sera nette si l'objectif est mis au foyer pour cette distance.

Les appareils plus anciens ont tous une bague mobile de mise au point appelée «bague des distances» sur laquelle sont généralement inscrites deux séries de chiffres, souvent de couleurs différentes. Ils indiquent en pieds* («ft» pour *feet*) et en mètres («m») l'écart qui vous sépare du sujet quand celui-ci est au point. Le plus petit chiffre (0.5 m, 0.45 m…) représente la distance minimale de mise au point de votre objectif. Si vous vous rapprochez plus encore, la photo sera floue. Le dernier signe se présente sous la forme d'un 8 couché (∞). Il symbolise l'infini et indique la mise au point sur le lointain. Sur les objectifs autofocus, les distances se trouvent, à titre indicateur, sous une petite fenêtre ou sont absentes, jugées inutiles par le fabricant, étant donné que dans la majorité des cas l'utilisateur choisit l'automatisme de la mise au point.

Exception faite des appareils bon marché dont l'objectif, fixe, ne comporte pas ce mécanisme, c'est un dispositif relié au viseur qui, en faisant avancer ou reculer l'objectif, sert à faire la mise au point sur le sujet visé.

La mise au point peut être faite manuellement. Dans ce cas, le photographe a recours aux indicateurs disponibles dans le viseur. Les appareils à viseur indépendant sont souvent munis d'un système de repérage par télémètre qui présente deux images qu'il s'agit de faire coïncider (FIGURE 1.5).

FIGURE 1.5

Mise au point
par télémètre

a) Incorrecte

b) Correcte

a)

b)

Plusieurs appareils reflex combinent un cercle central de type télémétrique (le stigmomètre) entouré d'un anneau de microprismes qui fractionnent le sujet lorsque la mise au point n'est pas faite, alors que le reste de la surface est constitué d'un verre dépoli sur lequel l'image est vue floue ou nette (FIGURE 1.6).

FIGURE 1.6

Mise au point
combinant:

a) le cercle
   télémétrique

b) l'anneau de
   microprismes

c) le verre dépoli

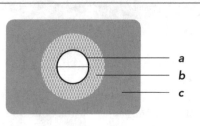

---

* À titre informatif, 1 pied correspond à 30 centimètres environ.

Si la mise au point est faite automatiquement, les indications du verre de visée se réduisent souvent au minimum. Un carré, un cercle ou des crochets au centre du viseur indiquent l'endroit où l'appareil fait la mise au point et une icône informe l'utilisateur de l'état de la mise au point. Les systèmes autofocus les plus perfectionnés affichent en visée les capteurs qui détectent le sujet principal en même temps qu'une diode rouge confirme l'endroit exact où s'effectue la mise au point, ce qui est pratique quand plusieurs sujets se trouvent près les uns des autres (FIGURE 1.7).

 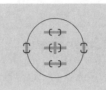

FIGURE 1.7

Viseurs d'appareils autofocus

Le plus important pour le photographe qui possède un appareil autofocus est qu'il sache bien comment mémoriser la mise au point (en maintenant le déclencheur enclenché à mi-course, par exemple) pour ensuite recadrer son image s'il ne désire pas placer son sujet en plein centre de la photo.

Outre la mise au point ponctuelle, plusieurs systèmes automatiques permettent la mise au point continue pour les sujets en mouvement. Le collimateur de mise au point suit alors le sujet et refait continuellement la mise au point, de sorte que l'utilisateur peut déclencher en tout temps.

Enfin, il faut mentionner que les systèmes, même les plus perfectionnés, ont parfois de la difficulté à faire la mise au point dans certaines circonstances que les modes d'emploi décrivent. Il faut alors revenir à la mise au point manuelle ou, encore, en cas de scène insuffisamment éclairée, recourir à un illuminateur d'assistance autofocus si l'appareil en possède un.

Indiquez sur la fiche pratique, s'il y a lieu, les distances minimales inscrites sur votre objectif. Indiquez également le système de mise au point dont est doté votre appareil.

Le système d'entraînement du film de l'appareil argentique

Manuel, le dispositif d'entraînement du film prend la forme d'un levier qui, outre qu'il fait avancer le film, arme l'obturateur et agit sur le compteur d'images (FIGURE 1.8). Dans les appareils récents, la pellicule se déroule automatiquement après chaque pose, accélérant ainsi la prise de vues. En plus de la prise vue par vue, certains appareils permettent la prise de photos en rafale à raison de plus d'une vue par seconde. Enfin, le rebobinage (ou rembobinage) se fait manuellement ou automatiquement quand le film a été exposé dans toute sa longueur.

FIGURE 1.8

Levier
d'entraînement
du film

Le déclencheur

Le bouton sur lequel on doit appuyer pour prendre une photographie est un dispositif entièrement manuel, les appareils n'étant pas encore assez perfectionnés
pour décider d'eux-mêmes quand l'expression du sujet est satisfaisante.

TYPE D'APPAREIL

☐ Argentique   ☐ Numérique

DIAPHRAGME

Ouvertures standard (p. ex. f/8)

_____ _____ _____ _____ _____ _____ _____ _____ _____

+ grandes (petit chiffre)   + petites (grand chiffre)

OBTURATEUR

Vitesses d'obturation standard (p. ex. 125 = 1/125 s) de la plus rapide à la plus lente

_____ = _____   _____ = _____   _____ = _____   _____ = _____

_____ = _____   _____ = _____   _____ = _____   _____ = _____

_____ = _____   _____ = _____   _____ = _____   _____ = _____

_____ = _____   _____ = _____   _____ = _____   _____ = _____

VISEUR

☐ Reflex   ☐ Indépendant

INDICATEUR DES DISTANCES

Distance minimale : en pieds _____   en mètres _____

MÉCANISME DE MISE AU POINT

☐ Manuel   ☐ Automatique

SYSTÈME D'ENTRAÎNEMENT DU FILM

☐ Manuel   ☐ Automatique

Les organes auxiliaires de l'appareil photo

LE SÉLECTEUR
DE SENSIBILITÉ
DU FILM

LE SÉLECTEUR DE SENSIBILITÉ DU FILM

Les appareils argentiques enregistrent les photos sur un film. Tous les films possèdent une sensibilité particulière à la lumière (à ce sujet, consulter le chapitre 7). Cette sensibilité, affichée sur la boîte et la cartouche du film, se mesure en valeurs ISO. L'appareil photo doit « savoir » quelle est la sensibilité du film inséré dans le boîtier. À cet effet, les anciens appareils sont munis d'un bouton comportant une échelle graduée sur laquelle l'utilisateur doit sélectionner cette sensibilité du film (FIGURE 2.1 *a*). Aujourd'hui, les appareils lisent automatiquement sur la cartouche du film un code DX qui révèle sa sensibilité, ce qui évite erreurs ou oublis (FIGURE 2.1 *b*). Quant aux appareils numériques, ils n'ont pas de film mais possèdent une sensibilité que les modes d'emploi décrivent en faisant la comparaison avec les ISO. Ils peuvent être réglés à diverses sensibilités équivalentes: 100 ISO, 200 ISO, etc.

FIGURE 2.1

Sélecteurs de
sensibilité du film
a) Échelle des ISO
b) Codage DX

a)   *b)*

LE POSEMÈTRE ET LES MODES D'EXPOSITION

Le posemètre est l'outil le plus utile, pour ne pas dire indispensable, au photographe. C'est un instrument constitué d'une cellule photoélectrique qui mesure l'intensité de la lumière. Fonctionnant à l'aide d'une pile, le posemètre sert à déterminer l'exposition, c'est-à-dire l'ouverture du diaphragme et la vitesse d'obturation qui permettent d'obtenir une photographie correcte, compte tenu de l'indice de sensibilité du film.

Les premiers posemètres étaient indépendants des appareils photo. Le tenant à la main, le photographe le pointait sur le sujet (en lumière réfléchie) ou sur la source lumineuse (en lumière incidente), puis relevait les indications d'ouverture et de vitesse qu'il reportait ensuite sur son appareil. Les professionnels qui travaillent en studio procèdent encore de cette manière ; cela donne des résultats très précis en cas d'éclairages complexes.

Depuis le début des années 70, les appareils possèdent un posemètre intégré, situé derrière l'objectif d'où il «lit» la lumière. De là son appellation «TTL» pour *through the lens*.

Les modes d'utilisation et d'affichage des posemètres varient, mais il est possible de les grouper en catégories possédant des traits communs.

Le mode manuel

Il ne se fabrique plus d'appareil sans posemètre incorporé, mais, actuellement, presque tous les appareils reflex comportent un mode d'exposition manuel. Le photographe a la possibilité de désactiver la fonction automatique et de choisir lui-même ses coordonnées (vitesse et ouverture) à partir des indications du posemètre ou indépendamment de celui-ci.

Sauf dans les situations de photographie créative (effets spéciaux, photo de nuit), il n'y a pas lieu de travailler en mode manuel. Il est erroné de penser, à l'instar de beaucoup de débutants, que pour faire de la « vraie » photographie il faille travailler en mode manuel. On ne peut ignorer les bienfaits (précision, souplesse, rapidité) du posemètre intégré à l'appareil dans la mesure où, évidemment, on en fait une utilisation intelligente.

Le mode semi-automatique

Les premiers posemètres incorporés à l'appareil photo fonctionnaient en mode semi-automatique ; il en reste encore beaucoup en circulation (FIGURE 2.2).

FIGURE 2.2

Appareil photo fonctionnant en mode semi-automatique

L'affichage du posemètre dans le viseur peut se présenter de diverses manières, mais le fonctionnement est toujours le même. L'œil collé au viseur, le photographe pointe son objectif vers le sujet, puis manipule la bague des ouvertures du diaphragme ou le sélecteur des vitesses d'obturation ou encore les deux successivement jusqu'à ce qu'un indicateur lui signale que le réglage est adéquat.

Il peut avoir à faire coïncider une aiguille avec un repère mobile ou fixe (FIGURE 2.3 *a* ET *b*). Dans d'autres appareils, c'est une diode (petite lampe témoin) qui passera du rouge au vert (FIGURE 2.3 *c*). Ce mode est appelé « semi-automatique », car l'utilisateur doit voir au réglage des deux coordonnées (vitesse et ouverture) pour obtenir une exposition correcte.

FIGURE 2.3

Affichage du posemètre dans le viseur (mode semi-automatique)

a) Aiguilles mobiles à faire coïncider

b) Aiguille à centrer entre deux repères fixes

c) Affichage simple à diodes

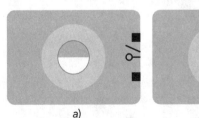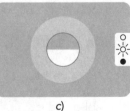

a)   b)   c)

Le mode automatique

Avec la venue des appareils à exposition automatique (FIGURE 2.4), aucune manœuvre n'est plus nécessaire lorsqu'au départ on a sélectionné une ouverture de diaphragme ou une vitesse d'obturation. Selon que l'on avait à choisir l'une ou l'autre de ces dernières, l'appareil était doté du mode «priorité à l'ouverture» ou «priorité à la vitesse». Les appareils de marque Canon donnaient priorité à la vitesse alors que la grande majorité des autres fabricants donnaient priorité à l'ouverture. Puis, on mit sur le marché des appareils qui offraient à l'utilisateur le choix entre l'un ou l'autre des modes dont on verra l'utilité plus tard.

FIGURE 2.4

Appareil photo fonctionnant en mode automatique

Dans le mode «priorité à la vitesse», le photographe sélectionne d'abord une vitesse d'obturation et règle la molette appropriée. L'appareil, par l'intermédiaire du posemètre, décide ensuite quelle ouverture correspondante donnera une photo réussie selon l'éclairage ambiant, et fait **automatiquement** le réglage. Le photographe retrouve souvent dans son viseur l'échelle des diaphragmes devant laquelle se déplace l'aiguille du posemètre (FIGURE 2.5 a).

Le mode «priorité à l'ouverture du diaphragme» fonctionne de la même façon que le mode «priorité à la vitesse», sauf que c'est une valeur «f» (ouverture de diaphragme) que le photographe doit fixer au départ. Dans le viseur, une aiguille ou une diode indique la vitesse choisie conséquemment par le posemètre (FIGURE 2.5 b ET c).

De nos jours, la majorité des appareils offrent le mode manuel (M), et des modes automatiques donnant priorité à la vitesse (S ou Tv) et à l'ouverture du diaphragme (A ou Av).

FIGURE 2.5

Affichage du posemètre dans le viseur (mode automatique)

a) Priorité à la vitesse : affichage de la valeur «f»

b) Priorité à l'ouverture : affichage de la vitesse

c) Affichage à diodes

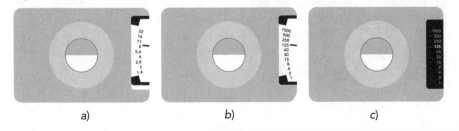

a)   b)   c)

Le mode programme

Le mode programme (P) n'exige qu'un minimum de manipulation de la part du photographe qui n'a qu'à régler son appareil sur l'index « P ». Le posemètre agit alors seul : il adopte une combinaison vitesse-ouverture en vertu d'un programme électronique. Parfois, l'utilisateur peut voir sur un écran les coordonnées de l'exposition et les modifier. Mais, quand le posemètre agit seul, ce mode ne lui offre aucun contrôle, puisque l'appareil prend toutes les décisions à sa place.

Toutefois, la majorité des appareils dotés du mode programme, comme le X-700 de Minolta (FIGURE 2.6), offrent également les autres modes automatiques donnant priorité à la vitesse et à l'ouverture, de sorte que l'utilisateur a le choix de conserver ou non le contrôle des coordonnées de l'exposition.

FIGURE 2.6

Appareil photo doté du mode programme

Les autres modes

Plusieurs autres modes ont progressivement fait leur apparition, et la plupart des appareils récents en sont dotés (FIGURE 2.7).

FIGURE 2.7

Appareil photo doté de plusieurs modes programme

Ils serviront à l'amateur qui s'est procuré un appareil perfectionné mais ne veut pas se compliquer la vie. Ils se présentent sous de petits pictogrammes (FIGURE 2.8) maintenant standardisés.

FIGURE 2.8
Sélecteurs de mode d'exposition

Ces modes sont tout simplement des versions du mode programme dont la programmation varie en donnant priorité à la vitesse ou à l'ouverture selon la situation de prise de vues. Ainsi, le mode « portrait » privilégie une grande ouverture, le mode « paysage » (icône : montagnes) une petite ouverture mais en maintenant une vitesse moyenne, le mode « macro » ou « gros plan » (icône : fleur) une petite ouverture, le mode « action » ou « sports » (icône : sportif) une vitesse rapide. Le mode « scène de nuit » déclenche le flash tout en conservant une vitesse lente.

Il est possible que les descriptions de ces modes d'exposition aient suscité des interrogations dans votre esprit. La compréhension de leur fonctionnement et de ces choix viendra plus loin avec l'explication du processus d'exposition.

À l'aide des descriptions précédentes, tentez de trouver le ou les modes d'exposition dont est doté votre appareil et remplissez la section appropriée de la fiche pratique numéro 2 (p. 27). Si vous n'êtes pas en mesure de le faire, ne vous affolez pas et poursuivez votre lecture ; le chapitre 3, portant sur le mode d'emploi de votre appareil, vous éclairera à ce sujet.

LES TYPES D'OBJECTIFS

On a précédemment décrit l'objectif, cet « œil » de l'appareil photo (v. p. 7). L'avantage incontestable d'un appareil reflex 35 mm est de pouvoir le détacher du boîtier pour le remplacer par un autre. Il existe en effet une vaste gamme d'objectifs interchangeables qui « voient » différemment et qui sont classés selon une caractéristique fondamentale : leur distance focale (distance en millimètres entre le plan du film et le centre optique de l'objectif réglé sur l'infini). On distinguera, entre autres, cinq types d'objectifs : l'objectif normal, le grand angulaire, le téléobjectif, le zoom et l'objectif macro.

L'objectif normal

Un objectif est dit normal (ou standard) lorsque sa distance focale est approximativement égale à la diagonale du format du film avec lequel il est utilisé. La diagonale d'un film 35 mm étant d'environ 43 mm (FIGURE 2.9), un objectif de cette focale correspondrait à la normale pour ce type de pellicule. En fait, les objectifs de 40 à 58 mm sont aussi considérés comme normaux.

FIGURE 2.9

Diagonale d'un
négatif 35 mm

L'objectif normal est ainsi appelé car il délimite une image dont le champ de vision ressemble à celui de l'œil humain. Les photos qu'il permet de prendre nous sembleront donc les plus « naturelles ». Cet objectif est court et léger, donc peu encombrant et facile à manipuler. Très polyvalent, il peut capter tout un paysage ou une scène dans son ensemble (photo couleur 1), mais il peut tout aussi bien se rapprocher suffisamment pour isoler visages ou détails (photo couleur 2).

Le grand angulaire

L'objectif grand angulaire, ou grand angle, comporte une distance focale plus courte que la normale (moins de 40 mm pour les appareils munis d'un film 35 mm). Son champ de vision étant plus vaste que celui de l'objectif normal, il est utile pour photographier des groupes de personnes ou des intérieurs lorsqu'on manque de recul (photo couleur 3).

Les grands angulaires les plus communs sont les 35 mm et les 28 mm. En deçà de cette dernière focale, ils créent des distorsions importantes et ne sont pas recommandés pour le portrait, car ils déforment les sujets.

Le téléobjectif

La longue distance focale du téléobjectif (70 mm et plus pour un appareil reflex 35 mm) lui fait embrasser un champ beaucoup plus restreint que l'objectif normal (photo couleur 4). De nature télescopique, il va « chercher » le sujet plus loin sans que le photographe n'ait à s'en approcher physiquement. Plus sa focale est longue, plus il est lourd et encombrant, nécessitant souvent l'usage du trépied. Les portraitistes utilisent le 100 mm et le 135 mm. Les ornithologues amateurs et les professionnels se servent de téléobjectifs de 300 mm et plus.

Les quatre photos de la Porte des Anciens Maires de Saint-Hyacinthe (FIGURES 2.10, 2.11, 2.12 ET 2.13) ont été prises du même endroit, de l'autre côté de la rivière Yamaska, mais avec des objectifs de focales différentes, respectivement un grand angle de 28 mm, un objectif normal de 50 mm, et des téléobjectifs de 100 mm et de 200 mm. Elles illustrent, ainsi que le schéma de la figure 2.14, l'angle de champ respectif de chacun de ces objectifs.

FIGURE 2.10

Photo prise avec
un grand angulaire de 28 mm
(en haut, à gauche)

FIGURE 2.11

Photo prise avec
un objectif normal de 50 mm
(en bas, à gauche)

FIGURE 2.12

Photo prise avec
un téléobjectif de 100 mm
(en haut, à droite)

FIGURE 2.13

Photo prise avec
un téléobjectif de 200 mm
(en bas, à droite)

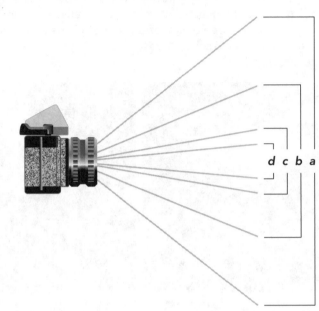

Le zoom

Le zoom est un objectif à focale variable. Il est conçu de sorte qu'il combine en un seul objectif un certain nombre de lentilles mobiles qui permettent à l'utilisateur d'avoir rapidement accès à plusieurs focales sans avoir à changer d'objectif. Il est vendu en une très grande variété de combinaisons : de 28 à 90 mm, de 35 à 70 mm, de 70 à 210 mm, etc. Son format, sa complexité et par conséquent son prix croissent avec l'étendue de son champ d'action. Pratique, il remplace plusieurs objectifs à focale fixe.

L'allure générale du zoom ressemble à celle du téléobjectif, si bien que beaucoup les confondent alors que ce sont des objectifs totalement différents. Le téléobjectif a une seule focale, fixe, qui rapproche le sujet comme le fait une longue-vue, alors que le zoom réunit plusieurs focales de longueurs variées. Il existe des zooms aux focales de grands angulaires (p. ex. 18-35 mm), d'autres aux longues focales (p. ex. 100-400 mm) et d'autres, plus étendus encore, qui vont du grand angle au téléobjectif (p. ex. 28-200 mm). Ces derniers sont les préférés du grand public, car ils allègent le sac du touriste, lui permettant de voyager avec un seul objectif.

Il y a des avantages évidents dans la flexibilité permise par un zoom, mais il y a aussi des inconvénients : les zooms sont plus gros et plus lourds que les objectifs simples et, en général, moins lumineux à cause de leur ouverture maximale plus petite.

L'objectif macro

La macrophotographie est la photographie rapprochée en très gros plan de fleurs, d'insectes ou de petits objets. Elle se fait à l'aide d'un objectif macro conçu à cet effet ou au moyen d'un dispositif particulier que l'on trouve sur beaucoup de zooms (photo couleur 5).

Les inscriptions sur les objectifs

Sur le devant d'un objectif (FIGURE 2.15 a ET b), figurent des inscriptions qui varient selon l'âge de celui-ci et le fabricant. En plus de la marque et d'autres indications comme le numéro de série, par exemple, on y voit habituellement l'indication de la distance focale (p. ex. 28 mm, 50 mm) à côté de l'inscription nous informant de la capacité d'ouverture de son diaphragme (p. ex. 1 : 1.4, 1 : 3.5). Les zooms indiquent leurs distances focales minimale et maximale (p. ex. 28-80 mm) et sont souvent dotés de deux ouvertures maximales du diaphragme (p. ex. 1 : 3.5-5.6) correspondant à leurs distances focales extrêmes. Ainsi, un zoom 35-70 mm de 1 : 3.5-4.5 aura f/3.5 d'ouverture au maximum lorsqu'il est placé à 35 mm, alors qu'il ne disposera que de f/4.5 quand on l'utilise à 70 mm.

a)

b)

FIGURE 2.15
a) Grand angulaire
b) Zoom

De plus, vous trouverez peut-être sur votre objectif l'indication de son pays d'origine, ainsi qu'une inscription du type Ø 49 mm ou Ø 62 mm, par exemple, qu'il ne faut pas confondre avec la distance focale. Cette marque est la mesure du diamètre de l'objectif, utile au moment de l'achat de filtres ou autres accessoires vissés.

Relevez toutes ces indications et inscrivez-les sur la fiche pratique 2. Faites de même avec votre zoom et vos autres objectifs, si vous en possédez plus d'un.

Les objectifs de l'appareil numérique

Les dimensions différentes de la surface de la pellicule argentique et de celle de certains capteurs numériques fait en sorte que la longueur focale des objectifs de ces appareils numériques ne couvre pas le même champ que ceux des appareils argentiques. L'équivalence entre les deux, inscrite dans la documentation du fabricant, se calcule souvent selon un facteur de conversion de 1,5. Un objectif argentique d'une focale de 50 mm, par exemple, équivaut à une focale de 75 mm dans le système numérique.

Quant aux zooms des appareils numériques, s'ils sont « optiques », l'image est agrandie optiquement comme dans le système argentique. Mais lorsqu'ils sont « numériques », l'image est artificiellement agrandie par interpolation (ajout de pixels). La qualité de la photo s'en trouve alors amoindrie.

LES AUTRES AUXILIAIRES DU PHOTOGRAPHE

D'autres organes intégrés viennent faciliter – ou complexifier ? – l'emploi de l'appareil photo : ce sont le retardateur, le dos dateur, la fonction surimpression, etc. Ces fonctionnalités sont tellement nombreuses de nos jours qu'il est impossible de les énumérer toutes. C'est pourquoi le chapitre 3 a été conçu de façon à vous faire découvrir leur existence ainsi que leur raison d'être par la lecture du mode d'emploi de votre appareil. Certains dispositifs importants comme le correcteur d'exposition et le bouton de contrôle visuel de la profondeur de champ seront traités dans la deuxième partie alors qu'il sera plus facile de comprendre leur usage.

SÉLECTEUR DE SENSIBILITÉ

☐ Manuel   ☐ Automatique (codé DX)

De ISO _____ à ISO _____

POSEMÈTRE ET MODES D'EXPOSITION

☐ Manuel (M)   ☐ Semi-automatique

☐ Automatique « priorité à la vitesse »

☐ Automatique « priorité à l'ouverture »

☐ Automatique « priorité à l'ouverture » (A, Av) et « à la vitesse » (S, Tv)

☐ Programme (P)

Autres programmes : _____ Portrait   _____ Paysage   _____ Macro (ou gros plan)

_____ Action (ou sports)   _____ Nuit

Indiquer les autres programmes s'il y a lieu

_____   _____   _____

OBJECTIF

Distance focale _____   Ouverture maximale _____

Autres inscriptions _____

ZOOM

Distances focales _____   Ouvertures maximales _____

Autres inscriptions _____

AUTRE OBJECTIF

Distance focale _____   Ouverture maximale _____

Autres inscriptions _____

FICHE PRATIQUE **2** Observation

3

Mode d'emploi de l'appareil photo

Le grand nombre de fabricants d'appareils photo et la multiplicité des modèles qu'ils mettent sur le marché étouffent rapidement tout désir d'inventorier les organes auxiliaires et les accessoires se greffant aux boîtiers. Les parties essentielles elles-mêmes se présentent sous des aspects tellement variés qu'il devient également impensable d'en faire une présentation exhaustive. Pourtant, tous les dispositifs, même les plus élémentaires tels l'interrupteur ou le compteur de prise de vues, doivent être repérés par chaque utilisateur sur son propre appareil.

On comprendra alors l'utilité du présent chapitre, inséré entre l'observation des diverses parties de l'appareil photo (chapitres 1 et 2) et leur expérimentation (chapitres suivants). Son objectif général est que vous puissiez acquérir une vision d'ensemble des dispositifs et des possibilités de votre propre appareil, en vue d'effectuer efficacement les exercices des chapitres suivants. Vous éviterez ainsi les erreurs et les pertes de temps occasionnées par de fastidieux retours en arrière.

Il est possible toutefois que la lecture du mode d'emploi ne vous donne pas la clé de tous les mystères. Ne vous attardez pas à une difficulté particulière. La fiche pratique numéro 3 comporte une colonne intitulée «Ce que je ne comprends pas»; faites-y des annotations. La suite de votre apprentissage devrait apporter une réponse à ces interrogations de sorte que, après la lecture du livre, cette dernière colonne devrait ne plus comporter de questions sans réponse.

Si vous possédez votre appareil depuis quelques années et l'utilisez régulièrement, astreignez-vous quand même à cet exercice même si vous avez déjà parcouru le livret du fabricant à l'achat. Vous serez étonné de tout ce que vous y découvrirez : un détail qui vous avait échappé, un dispositif que vous aviez oublié…

CONSIGNES Consignes

Il faut lire le mode d'emploi d'une couverture à l'autre et s'attarder à toutes les illustrations et à leurs légendes. Les fabricants ne font pas de littérature ; ils vont à l'essentiel (nomenclature, opérations de base, prises de vues, conseils d'entretien, etc.) et toute l'information est condensée en un texte qu'il faut parcourir avec beaucoup d'attention.

Gardez votre appareil à portée de la main pour pouvoir en faire jouer librement les mécanismes. Effectuez toutes les opérations recommandées dans le mode d'emploi. Ponctuez votre lecture de moments d'arrêt qui vous permettront de repérer et d'observer les dispositifs sur l'appareil, et non seulement sur les schémas du livret. Assurez-vous d'avoir très bien compris comment effectuer toutes les manipulations qui sont décrites dans le texte.

Au fur et à mesure de votre lecture, remplissez une feuille, à l'exemple de la fiche pratique numéro 3 (p. 30), en indiquant chaque fois la page et le titre de la rubrique dont vous venez de terminer la lecture. Écrivez ensuite un résumé de ce que vous avez appris pour bien vous le rappeler. Inscrivez également ce que vous n'avez pas compris. Ce peut être toute une page, une phrase ou un mot seulement. L'important est que vous notiez cet élément pour en trouver plus tard l'explication.

Ce travail terminé, vous êtes prêt à démarrer. Toute cette première partie vous a peut-être paru un peu fastidieuse, mais vous saisirez rapidement dans celle qui suit que, si vous en avez consciencieusement franchi chacune des étapes, vous avez mis tous les atouts de votre côté : la pratique qui suit n'en sera que plus aisée.

EXEMPLE

FICHE PRATIQUE 3
Observation

APPAREIL

Fabricant _____　　Modèle _____

LECTURE DU MODE D'EMPLOI

Page	Titre de la rubrique	Ce que j'ai appris	Ce que je ne comprends pas
5	Nomenclature	Le bouton de déverrouillage de l'objectif	
32	Situations particulières d'exposition		La commande de correction d'exposition

3 Observation

FICHE PRATIQUE **3** Observation

APPAREIL

Fabricant _____ Modèle _____

LECTURE DU MODE D'EMPLOI

Page	Titre de la rubrique	Ce que j'ai appris	Ce que je ne comprends pas

DEUXIÈME PARTIE
UTILISATION DE L'APPAREIL PHOTO

Après la réflexion, l'action : le temps est maintenant venu de s'exercer. La première utilisation que vous allez faire de votre appareil sera toutefois essentiellement technique, c'est-à-dire que vous allez tenter, par divers exercices, de vous familiariser avec les opérations les plus fondamentales de la prise de vues. Suivez bien toutes les consignes et ayez pour seul objectif celui de bien accomplir l'exercice.

Ne cherchez pas à faire deux choses à la fois en tentant tout à la fois de réussir l'exercice sur la profondeur de champ et de fixer pour la postérité les premiers pas de votre dernier-né. Choisissez des sujets fixes : des objets ou des personnes patientes qui sauront respectueusement attendre que vous ayez fait tous vos réglages et bien pris vos notes.

Ne brûlez pas les étapes non plus. Franchissez-les l'une après l'autre, tout en ne ménageant pas votre temps ni le film, si vous avez un appareil argentique. Son coût est minime en comparaison avec le déboursé déjà effectué pour l'appareil lui-même. Considérez vos erreurs et vos reprises non pas comme du gaspillage de temps et de pellicule, mais comme une assurance contre les pertes. Plus tard, vous vous féliciterez d'avoir raté la photo de votre chaise de parterre plutôt que celles du premier anniversaire de votre fille.

À quelques endroits, il vous sera même demandé de faire délibérément des « erreurs ». Ne les prenez pas à la légère. Elles ont pour but de vous faire mieux comprendre et assimiler vos nouvelles connaissances.

C'est une stratégie pédagogique bien connue que de susciter les erreurs pour bien les reconnaître et les éviter par la suite.

Remplissez consciencieusement les questionnaires, les fiches pratiques et la fiche technique. Il ne sert à rien de perdre temps et argent à prendre une photo qu'on ne pourra analyser et comprendre par la suite, faute d'avoir pris des notes précises et lisibles.

Il n'est pas facile de se promener sur le terrain avec en main un appareil photo, ses accessoires, un livre, un carnet de notes, un crayon et une gomme à effacer en plus de son sac à main, ses lunettes de soleil et sa casquette ; mais c'est essentiel. Prenez le temps qu'il faut pour vous organiser le plus commodément possible (munissez-vous d'un sac à dos, par exemple). En fin de compte, vos efforts seront récompensés par l'amélioration de vos capacités photographiques.

RENSEIGNEMENTS PRATIQUES

Les questionnaires

À la fin de chacun des trois chapitres de cette deuxième partie, vous trouverez un questionnaire. Il a pour objectif de consolider vos acquis théoriques et de vous amener à réaliser l'exercice pratique qui le suit avec plus d'assurance. Prenez le temps de vérifier vos nouvelles connaissances avant de vous lancer dans l'action.

La fiche technique

Vous trouverez la fiche technique à la fin de la présente section, p. 35. C'est l'instrument le plus précieux de votre apprentissage. Reproduisez-la en plusieurs exemplaires et remplissez-en une copie à chacun des exercices pratiques que vous effectuerez. Pour chaque photo que vous prendrez, inscrivez l'ouverture du diaphragme et la vitesse d'obturation. Il va de soi que, si votre appareil est muni de modes programme, vous les éviterez pour effectuer les exercices afin de maîtriser pleinement votre pratique photographique. Adoptez alors un mode automatique, qui vous donne en tout temps un droit de regard sur la vitesse et l'ouverture.

Dans la colonne « Effet recherché », inscrivez la nature de ce qui vous est demandé dans l'exercice. La dernière colonne (« Observations et analyse ») ne doit être remplie qu'à la réception de vos photos à l'aide de la fiche pratique intitulée « Retour ». Pour vous guider, un exemple de fiche comportant des inscriptions se trouve à la page 34.

Les fiches pratiques :
expérimentation

Les fiches pratiques constituent vos «devoirs». Elles vous rappellent l'objectif poursuivi et vous indiquent le matériel dont vous aurez besoin.

Si vous photographiez avec un appareil argentique, l'idéal est d'utiliser un film pour diapositives. Le visionnement de ces dernières nécessite un projecteur, une visionneuse, une table lumineuse ou une simple fenêtre bien éclairée, mais il offre l'avantage de vous montrer vos photos dans toute leur «vérité», bonne ou mauvaise. Une petite loupe de plastique peu coûteuse vendue dans les magasins de photographie vous sera utile pour mieux scruter vos diapositives ou négatifs. Elle vous servira des années.

Le film négatif couleur, pour sa part, donne des photos imprimées sur papier qui sont souvent corrigées à l'impression par la machine ou l'opérateur qui en fait le développement, ce qui peut altérer la qualité des résultats de l'exercice, particulièrement quand il vous est délibérément demandé de faire des «erreurs» d'exposition pour en observer les résultats. Si, par contre, le laboratoire avec qui vous faites affaire peut vous assurer de façon absolument certaine que vos négatifs seront imprimés tels quels, vous pouvez utiliser un film négatif.

Vous n'avez pas à prendre toutes les photos de l'exercice dans l'ordre dans lequel elles se présentent sur la fiche pratique. Allez-y selon votre inspiration et selon les sujets qui se présentent à vous. L'important est d'écrire dans chacun des petits espaces réservés à cet effet le numéro de la photo inscrit sur la fiche technique, pour vous y retrouver par la suite. Les détails de la prise de vues se trouvent sur la fiche technique (voir l'exemple à la page suivante).

Les fiches pratiques :
retour (observations et analyse)

À la réception de vos photos, numérotez-les immédiatement en vous aidant des notes de la fiche technique. Puis, analysez-les et remplissez la colonne «Observations et analyse» de cette dernière en vous aidant des remarques de la fiche «Retour» pour reconnaître vos réussites et vos erreurs.

En bref

À la fin de chacun des trois chapitres qui suivent, vous aurez un exercice pratique à effectuer.

- Lisez d'abord attentivement la théorie.
- Répondez au questionnaire pour vérifier vos connaissances.
- Assurez-vous de bien comprendre les instructions de la fiche pratique.
- Remplissez consciencieusement la fiche technique au fur et à mesure que vous réaliserez l'exercice.
- Faites un retour sur l'exercice accompli pour voir vos réussites et vos erreurs.

EXEMPLE
Fiche technique

Exercice pratique n° _____

N° de photo	Sujet	Ouverture	Vitesse	Effet recherché	Observations et analyse
1	Stéphanie	f/8	1/125	Mise au point correcte	Photo réussie : détails de la photo précis
2	Chien qui court	f/5.6	1/250	Figer le mouvement	Photo réussie : le chien est net
3	Luc + balle	f/11	1/60	Effet de bougé	Pas assez évident ; vitesse trop rapide
4	Michèle dans le hamac	f/4	1/125	Surexposition + 2	Photo trop claire : exercice réussi
5	Lynn à la plage	f/8	1/250	Contre-jour non compensé	Photo réussie : silhouette sombre
6	Lynn à la plage	f/4 -5.6	1/250	Contre-jour compensé de +1 ½	Photo réussie : visage clair
7					
8					
9					
10					
11					

Exercice pratique n° _____

N° de photo	Sujet	Ouverture	Vitesse	Effet recherché	Observations et analyse

Fiche technique

4

Réglages fondamentaux : mise au point et exposition

LA MISE AU POINT

Nous avons vu au chapitre premier que c'est le mécanisme de mise au point, appelé en anglais *focus*, qui permet d'obtenir une image nette. Un sujet est reproduit avec netteté lorsqu'il donne, vu à une distance normale de vision, une impression subjective de précision. Une mauvaise mise au point donnera une image floue (FIGURES 4.1 ET 4.2). J'insiste sur l'importance que l'on doit accorder aux mots : « net » est le contraire de « flou ». Quand on fait référence à la mise au point qui a été bien ou mal faite, on dira que l'image est nette ou floue ; on parlera plutôt d'images claires ou sombres quand, plus loin, il sera question de l'exposition. Ces deux réglages sont différents et indépendants l'un de l'autre ; veillez à ne pas les confondre.

FIGURE 4.1
Mise au point correcte

FIGURE 4.2
Mise au point incorrecte

Une fois que vous avez cadré le sujet à votre goût, la première opération que vous devez effectuer est de régler votre objectif pour que la photo soit nette, autrement dit faire la mise au point. Ce réglage se fait manuellement à l'aide de la bague des distances ou bien automatiquement (revoir la description de ce mécanisme au chapitre 1). Dans la fiche pratique numéro 4 qui vous guidera dans la prise de votre premier film, on vous demandera de prendre quelques photos, correctes et incorrectes, pour expérimenter ce mécanisme.

L'EXPOSITION

Le processus

La réalisation d'une photographie comporte des étapes bien précises. Un photographe pointe son appareil en direction d'un sujet. Il compose son image, fait la mise au point puis règle l'exposition. Il appuie sur le déclencheur. Durant un certain temps, une certaine quantité de lumière pénètre à travers l'objectif. L'appareil numérique enregistre l'image et, en général, l'utilisateur peut immédiatement la voir. Avec l'appareil argentique, la lumière impressionne la pellicule et crée une image «latente» en quelque sorte, invisible à la surface du film. Cette image doit être révélée puis fixée chimiquement en chambre noire. Si le photographe a utilisé un film pour diapositives, l'image est coupée, insérée dans un cadre et prête pour la projection. Sinon, il a en main une image négative dont les lumières, les ombres et les couleurs sont inversées. De ce négatif, on tire un positif agrandi sur papier : c'est la photo.

La base du système

Pour obtenir une image satisfaisante, le photographe doit faire en sorte que le film soit exposé durant un *certain temps* à une *certaine quantité de lumière*.

Ce «certain temps» et cette «certaine quantité de lumière», autrement dit ce dosage de lumière, c'est l'exposition. Celle-ci est réglée à l'aide de deux dispositifs: l'obturateur et le diaphragme. L'obturateur détermine le *temps* durant lequel la lumière entre dans l'appareil, alors que le diaphragme détermine la *quantité* de lumière qui y pénètre.

L'exemple du robinet est encore celui qui illustre le mieux le rapport durée/ouverture du système photographique. Comparons donc le flux lumineux qui pénètre dans l'appareil photo à l'eau qui coule dans un récipient par un robinet ouvert (FIGURE 4.3).

Le temps, l'obturateur

Supposons un robinet à demi ouvert (FIGURE 4.3 *a*). Si le récipient qui reçoit l'eau se remplit de moitié en deux secondes, il sera donc plein en quatre secondes. Il en est de même pour l'obturateur qui laissera passer deux fois plus de lumière s'il reste ouvert deux fois plus longtemps.

L'ouverture, le diaphragme

Supposons maintenant que le temps reste le même, soit deux secondes. Si, cette fois, nous ouvrons complètement le robinet, on verra qu'en deux secondes le récipient qui se remplissait de moitié quand le robinet était à demi ouvert se remplira complètement si on l'ouvre grand (FIGURE 4.3 *b*). Dans l'appareil photo, c'est le diaphragme qui règle le débit de lumière. Si on l'ouvre deux fois plus grand, il laissera pénétrer deux fois plus de lumière.

Le temps et l'ouverture: une combinaison

Pour remplir le récipient, on dispose de deux variables: l'ouverture du robinet et le temps durant lequel il est ouvert. On peut à loisir combiner ces variables pour finalement toujours arriver au même résultat. Ainsi, un robinet grand ouvert durant deux secondes donnera un récipient plein, tout comme le ferait aussi bien un robinet à demi ouvert durant quatre secondes (FIGURE 4.3 *c*). De la même façon, la quantité de lumière qu'on laisse pénétrer dans l'appareil dépend de la grandeur de l'ouverture du diaphragme ainsi que de la durée du temps d'obturation.

a)

Robinet à 1/2 + 2 s = 1/2 récipient

Robinet à 1/2 + 4 s = 1 récipient

b)

Robinet à 1/2 + 2 s = 1/2 récipient

Robinet grand ouvert + 2 s = 1 récipient

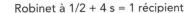

c)

Robinet grand ouvert + 2 s = 1 récipient

Robinet à 1/2 + 4 s = 1 récipient

FIGURE 4.3

Illustration du rapport entre la durée et l'ouverture du système photographique

a) Temps

b) Ouverture

c) Combinaison temps et ouverture

Au sujet du diaphragme

Le diaphragme est une ouverture variable. On dit « ouvrir » ou « fermer » le diaphragme. Un diaphragme ouvert (à large ouverture) laisse passer beaucoup de lumière, et un diaphragme dit « fermé » (à petite ouverture) laisse pénétrer peu de lumière.

On se rappellera que les chiffres indiquant les ouvertures du diaphragme progressent dans le sens inverse de la gradation des ouvertures : plus le chiffre est élevé (p. ex. f/16), plus l'ouverture est petite, alors qu'à l'inverse plus le chiffre est petit (p. ex. f/2.8), plus l'ouverture est grande.

De plus, il faut savoir que chaque ouverture laisse passer deux fois plus de lumière si elle est plus grande ou deux fois moins si elle est plus petite que sa voisine (voir la figure 1.2). Ainsi, f/2 laisse passer deux fois plus de lumière que f/2.8; f/8 est deux fois plus lumineux que f/11. L'inverse est aussi vrai : de f/11 à f/16, ou encore de f/4 à f/5.6, on coupe la lumière de moitié. Cela s'applique à toutes les ouvertures, sauf pour quelques grandes ouvertures comme f/1.7 ou f/3.5 qu'on trouve comme ouvertures maximales sur certains objectifs et qui sont des valeurs intermédiaires, mais, en pratique, la différence de luminosité entre ces dernières et les ouvertures standard n'est pas suffisante pour faire une réelle différence.

Au sujet des vitesses d'obturation

Tout comme les graduations du diaphragme, les vitesses d'obturation sont en progression géométrique. Chaque position de l'échelle des vitesses correspond à la moitié ou au double de la vitesse voisine. Ainsi, le temps de pose 1/30 est deux fois plus long que le 1/60, et le 1/250 est deux fois plus court que le 1/125. Les deux seules exceptions sont le 1/8, qui n'est pas tout à fait le double du 1/15, et le 1/125, qui n'est pas exactement la moitié du 1/60, mais la différence est négligeable.

Le contrôle de l'exposition

L'exposition (le flot de lumière qui pénètre dans l'appareil) dépend donc de la combinaison judicieuse de deux facteurs : la vitesse d'obturation et l'ouverture du diaphragme. Une question fondamentale se pose alors : *quelle vitesse et quelle ouverture utiliser ?* Puisqu'il s'agit de contrôler un flux lumineux, la réponse sera en corrélation directe avec les caractéristiques de la lumière même sous laquelle on travaille : soleil du midi, ciel nuageux, flash, etc.

Une première réponse à cette question se trouve dans les instructions accompagnant les films. Celles-ci se trouvent sur un feuillet ou encore sont imprimées directement sur le carton à l'intérieur de la boîte du film. Évidemment, les propriétaires d'appareils numériques n'ont pas ces instructions, mais on verra très bientôt qu'il existe un outil beaucoup plus pratique pour régler l'exposition.

Ces instructions (la figure 4.4 en montre un exemple) donnent des combinaisons de base à utiliser selon le temps qu'il fait à l'extérieur.

KODAK ELITE Chrome 100 Film Réglages manuels: Si vous n'avez pas d'appareil photo automatique ni de posemètre, suivez les indications du tableau ci-dessous.		
Soleil brillant ou voilé sur neige ou sable clair	1/250 s	f/16
Soleil brillant ou voilé (ombres distinctes)	1/125 s	f/16 Utilisez une ouverture de f/8 pour les sujets éclairés à contre-jour
Soleil voilé ou faible (ombres atténuées)	1/125 s	f/11
Temps nuageux clair (sans ombres)	1/125 s	f/8
Temps très couvert ou ombre ouverte	1/125 s	f/5.6

FIGURE 4.4

Exemple de combinaisons de base figurant à l'intérieur d'une boîte de film

Vous aurez pensé, avec raison, que ces instructions ne sont pas très précises, la différence entre un «soleil voilé avec ombres distinctes» et un «soleil voilé avec ombres atténuées» n'étant pas très évidente. C'est pourtant ainsi que procédaient les photographes de jadis dont le seul instrument de mesure était leur œil, lequel, exercé par des années de pratique, se trompait rarement.

Le posemètre de votre appareil est toutefois beaucoup plus précis. Il mesure avec une très grande exactitude l'intensité lumineuse ambiante et vous dicte les réglages (ouverture et vitesse) à effectuer. Tout écart de réglage donnera une photo mal exposée. Celle-ci sera surexposée si on laisse entrer trop de lumière, et sous-exposée s'il n'en pénètre pas assez. La première sera trop claire, la seconde trop sombre. Comparez les trois photos présentant une exposition correcte, une surexposition et une sous-exposition des figures 4.5, 4.6 et 4.7 pour bien comprendre cette notion (page suivante).

Les combinaisons d'exposition

Revenons maintenant au posemètre. Une fois qu'il vous a dicté un premier couple diaphragme-obturateur, vous pouvez alors modifier les deux réglages à votre gré, puisque chaque changement de graduation du diaphragme diminue de moitié ou augmente de moitié la quantité de lumière qui pénètre dans l'objectif, et que chaque augmentation ou diminution de la vitesse d'obturation produit le même effet.

Ainsi, si votre posemètre suggère 1/500 à f/4, vous savez que vous avez le choix d'utiliser d'autres couples équivalents (FIGURE 4.8).

FIGURE 4.5
Photo correctement
exposée

FIGURE 4.6
Photo surexposée

FIGURE 4.7
Photo sous-exposée

FIGURE 4.8
Couples
vitesse-diaphragme
équivalents

1/500 à f/4	=	1/250	à	f/5.6
		1/125	à	f/8
		1/60	à	f/11
		1/30	à	f/16
		1/15	à	f/22

L'intervalle entre chaque échelon d'ouverture ou de vitesse est communément appelé un « cran » (*stop* en anglais). L'important est de ne jamais oublier que, chaque fois que l'on ouvre d'un cran l'une des deux composantes du couple (diaphragme ou obturateur), peu importe laquelle, il faut compenser en fermant l'autre composante d'un cran. Si on laisse entrer deux fois plus de lumière en ouvrant d'un cran, il faut également diminuer de moitié la quantité de lumière en fermant l'autre composante d'un cran pour obtenir un flot de lumière équivalent. Donc, si l'on augmente la vitesse d'obturation d'un cran, on doit ouvrir le diaphragme d'un cran. Inversement, si l'on diminue la vitesse d'obturation, ou doit fermer le diaphragme.

Supposons par exemple que vous êtes à photographier un ami à l'extérieur sous un ciel nuageux et que votre posemètre vous indique le couple 1/125 à f/8 ; vous désirez, pour une raison quelconque, photographier à 1/250. Vous savez qu'en passant de 1/125 à 1/250, vous coupez la lumière de moitié puisque cette dernière vitesse est deux fois plus rapide que 1/125. Pour avoir une exposition correcte, il vous faut retrouver la quantité de lumière nécessaire à une bonne exposition ; vous devrez donc ouvrir le diaphragme d'un cran, c'est-à-dire le régler à f/5.6. Si, par contre, vous voulez plutôt utiliser la vitesse de 1/60, vous devrez fermer le diaphragme à f/11. Quand vous ouvrez d'un cran (+1) une des deux composantes, vitesse ou ouverture, vous devez fermer (−1) l'autre.

Le choix d'une combinaison

Le problème n'est toutefois pas encore totalement résolu, car une question se pose maintenant : parmi toutes ces combinaisons, laquelle choisir ?

Si vous avez fixé votre appareil sur un trépied, dans l'intention de photographier un paysage par une belle matinée ensoleillée, n'importe quelle combinaison sera probablement valable. À ce moment, vous pouvez régler votre appareil sur le mode « programme », s'il en est doté, et le posemètre décidera lui-même d'une ouverture et d'une vitesse appropriées pour l'éclairage ambiant. Votre photo sera correctement exposée. C'est ainsi qu'agissent un grand nombre d'amateurs qui déclarent ne pas vouloir de complications.

Cependant, si des groupes d'enfants s'amusent sur la pelouse ou encore si le soleil est bas (autrement dit si le sujet est en mouvement ou l'éclairage faible), il faudra, selon le cas, choisir d'abord une certaine vitesse ou bien une ouverture de diaphragme, et faire l'autre réglage en conséquence ; c'est ce qu'on appelle « donner priorité » au diaphragme ou à la vitesse d'obturation. Le mode « programme » ne nous est alors plus d'aucune utilité et il faut manipuler l'appareil selon un mode automatique ou semi-automatique qui permet le contrôle des réglages.

La théorie et les exercices pratiques qui suivent ont pour but de vous apprendre à bien maîtriser l'exposition et à vous faire acquérir des automatismes à cet effet. On verra d'abord ci-dessous quand, pourquoi et comment il faut parfois donner priorité à la vitesse. Le chapitre 5 pour sa part traitera de l'utilisation prioritaire du diaphragme.

PRIORITÉ À LA VITESSE D'OBTURATION

La tenue de l'appareil

L'échelle des vitesses d'obturation est très large, allant à plus de 1/4000 sur certains appareils jusqu'à des temps de pose (sur B ou bulb) de plusieurs heures, en astrophotographie par exemple. En pratique, un premier obstacle vient gêner la libre utilisation de toutes ces vitesses : le photographe lui-même ! Notre corps, toujours en mouvement, rend impossible la tenue ferme, absolument parfaite, d'un appareil photo lorsque nous réglons des vitesses lentes. Si l'on désire garder l'appareil dans ses mains, il faudra donc, avec un objectif normal, éviter toute vitesse plus lente que 1/60. Plus la focale de l'objectif est longue, plus la vitesse minimale s'élèvera, les zooms et les téléobjectifs étant plus longs et plus lourds, par conséquent plus difficiles à tenir fermement. Avec un 135 mm ou un 300 mm, par exemple, il faudra s'en tenir à des vitesses minimales respectives de 1/125 et de 1/250. Une règle s'impose donc :

> Avec un objectif normal,
> éviter les vitesses inférieures à 1/60
> si l'on tient l'appareil dans les mains.

Comment faire cependant si, par exemple, le diaphragme est à f/16 et le posemètre indique 1/15 ? Compte tenu de la nature des graduations en progression géométrique de l'ouverture et de l'obturateur, il est possible, comme nous l'avons expliqué précédemment, d'utiliser un autre couple équivalent dans lequel la vitesse est plus rapide, comme 1/60 à f/8 ou 1/125 à f/5.6. C'est ce qu'on appelle « donner la priorité » à la vitesse d'obturation.

Supposons maintenant que l'appareil est à la limite de ses capacités : 1/30 ou même 1/15 à f/2.8, cette dernière étant votre dernière ouverture, la plus grande. Impossible d'ouvrir le diaphragme d'un cran de plus et ces vitesses sont très lentes. Que faire ? L'idéal serait l'une ou l'autre de ces trois solutions : utiliser un flash, se servir d'un film plus sensible ou encore fixer l'appareil sur un trépied. Mais supposons encore que vous ne puissiez recourir à aucune de ces aides.

Si vous disposez de 1/30, vous êtes à la limite, mais vous pouvez encore photographier en tenant l'appareil dans vos mains. Vous devrez toutefois :

- tenir le boîtier en une prise solide ;
- coller vos coudes le long de votre corps ;
- retenir votre respiration ;
- déclencher avec précaution.

La figure 4.9 montre comment bien tenir l'appareil. L'index de la main droite ne peut aller ailleurs que sur le bouton du déclencheur, mais voyez comment la main gauche se place sous l'objectif et non par-dessus, comme font beaucoup de gens. Celle-ci soutient ainsi l'objectif tout en le manipulant. Cette prise, comme les conseils précédents, est d'ailleurs recommandée en tout temps. Prenez-en l'habitude mais retenez bien qu'à des vitesses plus lentes que 1/30, elle n'est plus valable. L'appareil a alors besoin d'un appui: table, pierre, dossier d'une chaise, colonne, branche ou tronc d'arbre, etc. (FIGURE 4.10). Un tel soutien permet des vitesses plus lentes que 1/30. La fiche pratique numéro 4 vous amènera à expérimenter ce procédé qui peut dépanner à l'occasion.

FIGURE 4.9

Tenue de l'appareil

a) Incorrecte

b) Correcte

FIGURE 4.10

Stabilisation de l'appareil en situation de vitesses lentes

Le sujet en mouvement

Un autre facteur pouvant influencer le choix d'une vitesse d'obturation est le mouvement du sujet lui-même: skieur, véhicule, balançoire, jeune enfant, défilé, oiseaux, danseurs, etc. La précision de l'image sera alors en rapport direct avec le choix de la vitesse d'obturation. Ainsi, un sujet qui se déplace rapidement, mais capté à une vitesse lente, donnera une image bougée, alors que le résultat sera net si la vitesse est rapide. On utilise le terme «bougé» pour différencier ce flou de celui, différent, obtenu par une mauvaise mise au point. Dans les figures 4.11 à 4.16, une fillette se déplaçant à bicyclette a été photographiée six fois à des vitesses d'obturation de plus en plus lentes (et à des ouvertures du diaphragme évidemment de plus en plus petites pour régulariser l'entrée de lumière). Remarquez la netteté de la première photo et le bougé croissant dans les suivantes. Sur la dernière, le sujet a presque disparu, la vitesse étant trop lente pour le saisir.

1/500

1/125

1/60

1/30

1/15

1/8

Figure 4.11 Vitesse d'obturation : 1/500

Figure 4.12 Vitesse d'obturation : 1/125

Figure 4.13 Vitesse d'obturation : 1/60

Figure 4.14 Vitesse d'obturation : 1/30

Figure 4.15 Vitesse d'obturation : 1/15

Figure 4.16 Vitesse d'obturation : 1/8

Le tableau qui suit présente des exemples de vitesses donnant des images bougées ou nettes pour des sujets communs. Ces vitesses sont données pour un objectif de 50 mm et ne sont qu'approximatives, car l'effet obtenu dépend aussi de l'éloignement du sujet photographié ainsi que de sa vitesse de déplacement. Notez qu'un sujet qui se déplace devant l'appareil en s'approchant ou en s'éloignant de celui-ci demandera que la vitesse corresponde à la moitié de ce qui est théoriquement possible lorsqu'un sujet évolue latéralement par rapport au même appareil.

Sujet	Bougée ←	Image →	Nette
Marcheur	Moins de	1/125 s	et plus
Coureur	Moins de	1/250 s	et plus
Cycliste	Moins de	1/500 s	et plus
Auto en mouvement	Moins de	1/1000 s	et plus

Un choix

Connaissant ces caractéristiques de la vitesse, le photographe choisit une vitesse d'obturation en fonction de l'effet désiré. Il n'est pas dit que si votre sujet est en mouvement vous devez opter pour une vitesse rapide, car en aucun cas il n'y a de critère ou de règle préconisant une vitesse plutôt qu'une autre. C'est un choix non pas technique, mais plutôt esthétique. L'image du plongeur figé en pleine course peut être intéressante. Celle du cheval de course imprécis à cause du bougé, se profilant devant un arrière-plan net peut l'être tout autant. Le « flou artistique » et le gel précis de l'action peuvent tous deux parfaitement traduire le mouvement. La photo couleur 1 a été prise avec une vitesse rapide pour figer les gestes et les costumes des danseurs. La photo couleur 6 en revanche a été prise avec une vitesse lente. En fait, l'obturateur était sur la position « bulb » (équivalente au B) et est resté ouvert plusieurs secondes, le temps que la pièce pyrotechnique étale sa « fleur » dans toute son ampleur.

Les deux photos couleur de manèges de foire numéros 7 et 8 témoignent bien elles aussi de ce choix qui s'offre au photographe. Très rapide en 7 et très lente en 8, la vitesse retenue a produit deux photos différentes, mais tout aussi intéressantes. La fiche pratique numéro 4 vous propose de réaliser des images des deux types.

Questions

1. Mon appareil photo est réglé à f/5.6.
Quelle ouverture de diaphragme permettrait de réduire la lumière de moitié?
_____.

2. Mon appareil photo est réglé à f/16. Pour doubler la quantité de lumière,
quelle ouverture de diaphragme devrais-je choisir? _____.

3. Le temps de pose 1/30 est deux fois plus court que _____.

4. Le temps de pose 1/250 est deux fois plus long que _____.

5. Le posemètre indique f/5.6 à 1/60.
Trouvez deux équivalences à ce couple. _____ et _____.

6. Je puis exposer à f/16 et 1/15. Mais je voudrais une vitesse de 1/60.
Quelle ouverture devrais-je choisir? _____.

7. Je suis spectateur au marathon de Montréal. Je voudrais une image bougée des
coureurs. Quelle vitesse choisirai-je? _____.

8. Avec un objectif normal, à partir de quelle vitesse doit-on stabiliser l'appareil si on le
tient dans les mains?
_____.

9. Je voudrais une photographie nette d'un avion qui décolle.
Le posemètre indique 1/60 à f/8. Que devrais-je faire?

_____

_____

10. Vrai ou faux?

_____ *a)* Je photographie à 1/15 ma fille qui se balance.
Celle-ci sera bougée sur la photo.

_____ *b)* f/16 est deux fois plus lumineux que f/8.

_____ *c)* f/2 est deux fois plus lumineux que f/2.8.

_____ *d)* Je ferme le diaphragme quand je passe de f/8 à f/16.

_____ *e)* f/2 à 1/250 = f/8 à 1/15.

_____ *f)* f/16 à 1/60 = f/4 à 1/1000.

Voir les réponses à la page 111.

4 Expérimentation

FICHE PRATIQUE

OBJECTIF

Apprendre à régler efficacement un appareil photo : faire la mise au point et régler l'exposition.

MATÉRIEL NÉCESSAIRE

Un appareil 35 mm et un film d'au moins 24 poses, ou un appareil numérique.

INSTRUCTIONS GÉNÉRALES
POUR LA PRISE DE VUES

- Vous devez toujours suivre les indications de votre posemètre (sauf en 3 *b* et *c*).

- N'utilisez pas le mode programme.

- Si votre appareil offre le choix entre divers modes automatiques, faites cet exercice en mode « priorité à la vitesse ». Notez qu'en mode « priorité à l'ouverture », vous pouvez également régler la vitesse : il vous suffit d'agir sur le diaphragme jusqu'à ce que vous obteniez la vitesse qui vous convient.

- Il peut arriver que, dans certaines circonstances (p. ex. faible ou très fort éclairage), il vous soit impossible de régler l'appareil selon vos désirs (un chiffre ou une lumière qui clignote, les aiguilles qui ne peuvent être alignées, l'appareil qui émet un signal sonore). C'est que vous avez atteint les limites de ses capacités. Vous ne pouvez prendre cette photo. Changez d'endroit et photographiez sous un éclairage différent.

PHOTOS À PRENDRE
(indiquer le numéro de la photo dans le carré)

❶ La mise au point correcte et incorrecte

- Prendre deux photos de compositions identiques d'un même sujet.

- Appareils à mise au point automatique : débrancher l'automatisme.

- Faire l'exercice avec deux sujets différents.

Sujet 1   Sujet 2

a) Mise au point correcte.

b) Mise au point incorrecte.

❷ L'exposition correcte

- Prendre trois photos absolument identiques d'un même sujet en changeant les variables de l'exposition (vitesse et ouverture). Les coordonnées doivent être différentes mais *équivalentes* et **toujours conformes aux indications du posemètre** (p. ex. f/8 à 1/250, f/11 à 1/125 et f/5.6 à 1/500).

- Essayer d'abord une vitesse moyenne (p. ex. 1/125) ou une ouverture moyenne (p. ex. f/5.6), vérifier l'autre coordonnée et planifier les trois photos avant de les prendre.

a)   b)   c)

❸ L'exposition incorrecte

- Prendre trois photos absolument identiques d'un même sujet en changeant les variables de l'exposition (vitesse et ouverture) de façon à avoir des couples **non équivalents** afin d'obtenir une photo **correcte**, une photo **surexposée** et une autre **sous-exposée**. Planifier les trois photos avant de les prendre.

- En *a*, procéder comme au numéro 2. En *b* et *c*, procéder en mode manuel et calculer soi-même la surexposition et la sous-exposition

- Faire l'exercice avec deux sujets différents (par ex. a) f/8 à 1/250, b) f/4 à 1/250 ou f/8 à 1/60 [+2 crans], c) f/16 à 1/250 ou f/8 à 1/1000 [−2 crans]).

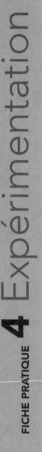

FICHE PRATIQUE 4 Expérimentation

Sujet 1   *Sujet 2*

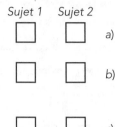

a) Exposition correcte selon le posemètre.

b) Exposition incorrecte : ouvrir de 2 crans de plus qu'en *a* (+2)

c) Exposition incorrecte : fermer de 2 crans de plus qu'en *a* (−2)

④ La tenue de l'appareil en main

Régler l'appareil sur un couple (vitesse et diaphragme) permettant une exposition correcte (selon le posemètre), mais en utilisant une vitesse de 1/30, et prendre deux photos différentes en tenant l'appareil le plus solidement possible.

☐   ☐

⑤ Prendre appui

Régler l'appareil sur un couple (vitesse et diaphragme) permettant une exposition correcte (selon le posemètre), mais en utilisant des vitesses inférieures à 1/30, et prendre deux photos différentes en prenant appui sur un objet autre qu'un trépied (table, colonne, banc, pierre, branche, etc.).

⑥ La vitesse rapide

• Photographier deux sujets en mouvement et les figer à l'aide d'une vitesse rapide.

⑦ La vitesse lente

• Photographier deux sujets en mouvement et créer un effet de bougé à l'aide d'une vitesse lente.

☐   ☐

> **Note**
> Utiliser les photos restantes pour refaire l'un des exercices, expérimenter son retardateur ou prendre des photos d'un même sujet avec des objectifs de focales différentes.

RETOUR

❶ La mise au point correcte et incorrecte

Deux photos devraient être nettes alors que les deux autres devraient être plus ou moins floues selon que la mise au point effectuée s'éloignait ou se rapprochait de celle requise pour avoir une image précise.

❷ L'exposition correcte

Les trois expositions différentes étant équivalentes, les photos devraient être rigoureusement identiques quant à l'exposition.

❸ L'exposition incorrecte

Les photos *a* devraient être correctement exposées. Les photos *b* (surexposées) devraient être trop claires. Les photos *c* (sous-exposées) devraient être trop sombres.

❹ La tenue de l'appareil en main

Les deux photos devraient être nettes. Si elles sont légèrement floues, c'est que vous avez bougé.

❺ Prendre appui

Les deux photos devraient être nettes. Si elles sont légèrement floues, c'est que vous n'avez pas pris appui adéquatement.

❻ La vitesse rapide

Les sujets photographiés devraient être nets. Sinon, c'est que la vitesse n'était pas assez rapide.

❼ La vitesse lente

Les sujets photographiés, et eux seuls, devraient présenter un effet de bougé léger ou accentué selon que la vitesse était plus ou moins lente et selon la vitesse du sujet lui-même. Si toute la photo est légèrement floue, c'est raté, car vous avez bougé ou n'avez pas pris appui adéquatement.

FICHE PRATIQUE **4** Expérimentation
Observations et analyse

5

La profondeur de champ

La notion de profondeur de champ semble souvent mystérieuse pour le profane. Celui-ci a vaguement entendu parler d'arrière-plan plus ou moins flou, d'un lien avec l'ouverture du diaphragme ou avec la focale des objectifs ; mais, pour lui, le rapport entre ces éléments reste obscur et, à toutes fins utiles, théorique et non opérationnel.

La notion de profondeur de champ est pourtant fondamentale en photographie, plus encore que celle de vitesse dont il a été question précédemment. C'est pourquoi la presque totalité des appareils photo accordaient, lors du lancement du mode automatique, la priorité à l'ouverture du diaphragme plutôt qu'à la vitesse d'obturation. En effet, si l'on excepte les cas où le sujet est en mouvement, le choix d'une vitesse plutôt qu'une autre ne changera strictement rien à l'image finale. Si la lumière le permet, une maison peut être indifféremment photo-graphiée à 1/60, 1/250 ou 1/1000 (en ajustant le diaphragme en conséquence). Par contre, le choix d'une ouverture plutôt qu'une autre (f/2 ou f/16) aura une incidence importante sur la photo terminée, comme on le verra dans le présent chapitre. Peu d'amateurs s'en soucient, se contentant de constater que la clôture du jardin n'est pas nette ou que les yeux de Fido sont clairs alors que ses oreilles sont floues.

Avec une connaissance de base de la notion de profondeur de champ et un peu d'exercice, cet élément important de la pratique photographique sera maîtrisé.

DÉFINITION DE LA PROFONDEUR DE CHAMP

La profondeur de champ d'une photographie est la partie de la photo qui se révèle nette et précise. La mise au point étant faite sur le sujet principal, celui-ci apparaît net sur l'image ainsi qu'une certaine zone devant lui et une autre, derrière lui. En deçà et au-delà de celle-ci, tout est flou.

FIGURE 5.1
Profondeur
de champ
réduite

FIGURE 5.2
Grande
profondeur
de champ

Ainsi, dans la figure 5.1 (page 53), les enfants sont nets alors que devant eux la boîte d'œufs est floue de même que le comptoir de cuisine en arrière-plan. Dans la figure 5.2 (page 53), le sujet, le premier plan et le décor arrière se présentent tous avec la même netteté. Dans le premier cas, on dira que la profondeur de champ est réduite ou qu'il y a peu de profondeur de champ. Dans le second, on dira que l'image présente une grande profondeur de champ.

Comme dans le cas des sujets en mouvement que l'on choisissait de prendre figés ou bougés, il n'y a pas de critère déterminant si l'on doit choisir une zone de netteté étendue ou restreinte. Une profondeur de champ réduite peut nuire à des éléments importants de la photo qui deviennent tellement flous qu'ils ne sont à peu près plus reconnaissables. Une trop grande profondeur de champ par contre peut pécher par l'excès contraire : trop de précision dans la totalité de la photo peut distraire l'œil du spectateur de l'élément principal que le photographe a voulu capter. Il s'agit donc de choisir l'effet désiré puis de savoir comment faire pour le réaliser en *prévoyant le résultat final*.

La profondeur de champ dépend de trois facteurs. Ce sont, par ordre d'importance : l'ouverture du diaphragme, la distance allant de l'appareil au sujet sur lequel la mise au point a été faite ainsi que la longueur focale de l'objectif utilisé. Chacun de ces éléments sera traité à tour de rôle.

LA PROFONDEUR DE CHAMP ET L'OUVERTURE DU DIAPHRAGME

L'ouverture du diaphragme constitue le facteur le plus important qui détermine la profondeur de champ. Le rapport entre les deux éléments est simple et peut s'énoncer ainsi :

Plus l'ouverture du diaphragme est petite,
plus la profondeur de champ est étendue.

Plus l'ouverture du diaphragme est grande,
plus la profondeur de champ est réduite.

Supposons par exemple que la mise au point a été faite sur un sujet situé à environ 4 mètres (12 pieds) du photographe. La profondeur de champ (donc la zone de netteté) sera plus grande si le diaphragme est ouvert à f/16 qu'à f/5.6 ou encore qu'à f/2.8, comme l'illustrent le schéma de la figure 5.3 et les photos des figures 5.4 et 5.5 qui ont été prises avec des coordonnées équivalentes mais différentes.

Remarquez la netteté des trois personnages et de l'arrière-plan dans la figure 5.4. L'ouverture était de f/16. Dans la figure 5.5, seul l'enfant du centre est précis, tandis que le reste de l'image, à l'avant et à l'arrière, est flou. Dans ce cas, l'ouverture était de f/2.8.

Les photographies couleur 9 et 10 illustrent aussi le rapport entre la profondeur de champ et l'ouverture du diaphragme. Dans les deux cas, la mise au point a été faite sur les fleurs du premier plan. À diaphragme fermé, la profondeur de champ s'étend à l'infini (numéro 9) alors qu'à diaphragme ouvert (numéro 10), seules les fleurs du devant se découpent nettement sur le reste de l'image qui est floue.

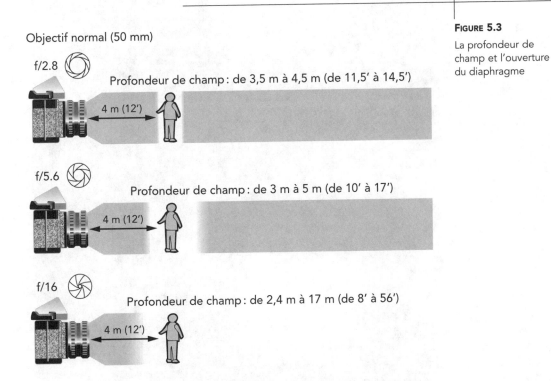

Objectif normal (50 mm)

f/2.8   Profondeur de champ : de 3,5 m à 4,5 m (de 11,5' à 14,5')
4 m (12')

f/5.6   Profondeur de champ : de 3 m à 5 m (de 10' à 17')
4 m (12')

f/16   Profondeur de champ : de 2,4 m à 17 m (de 8' à 56')
4 m (12')

FIGURE 5.3

La profondeur de champ et l'ouverture du diaphragme

FIGURE 5.4

La profondeur de champ et l'ouverture
du diaphragme

Objectif normal (50 mm) mis au point à
4 m (sur l'enfant du centre), diaphragme
à f/16 et vitesse à 1/60

FIGURE 5.5

La profondeur de champ et l'ouverture
du diaphragme

Objectif normal (50 mm) mis au point à
4 m (sur l'enfant du centre), diaphragme
à f/2.8 et vitesse à 1/2000

LA DISTANCE DE MISE AU POINT

LA PROFONDEUR DE CHAMP ET LA DISTANCE DE MISE AU POINT

L'ouverture du diaphragme est l'élément primordial qui détermine l'étendue de la profondeur de champ d'une photographie. Toutefois, deux autres facteurs influencent la zone de netteté qu'on retrouve sur une image. L'un d'entre eux est la distance allant de l'appareil photo au sujet sur lequel la mise au point est faite. Plus cette distance est grande, plus la profondeur de champ sera, elle aussi, étendue. Autrement dit :

Plus la mise au point est faite sur un sujet rapproché,
plus la profondeur de champ est réduite.

Plus la mise au point est faite sur un sujet éloigné,
plus la profondeur de champ est étendue.

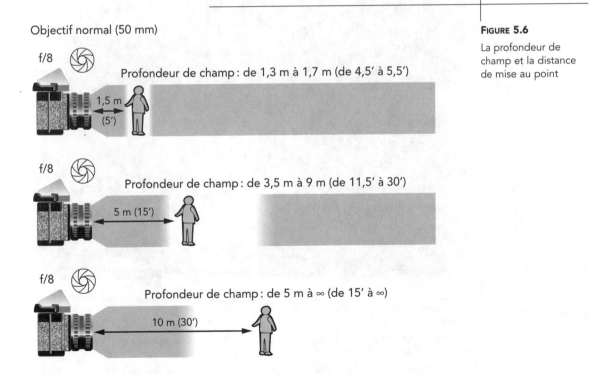

Objectif normal (50 mm)

f/8   Profondeur de champ : de 1,3 m à 1,7 m (de 4,5' à 5,5')

1,5 m (5')

f/8   Profondeur de champ : de 3,5 m à 9 m (de 11,5' à 30')

5 m (15')

f/8   Profondeur de champ : de 5 m à ∞ (de 15' à ∞)

10 m (30')

FIGURE 5.6

La profondeur de champ et la distance de mise au point

FIGURE 5.7

La profondeur de champ et la distance de mise au point

Objectif normal (50 mm) ouvert à f/8 et vitesse à 1/250 ; mise au point à 1,5 m (fillette au premier plan)

FIGURE 5.8

La profondeur de champ et la distance de mise au point

Objectif normal (50 mm) ouvert à f/8 et vitesse à 1/250 ; mise au point à 10 m (enfant du fond)

Le schéma de la figure 5.6 et les photos des figures 5.7 et 5.8, prises avec un objectif normal (50 mm), toujours ouvert à f/8, illustrent cette notion. Dans la figure 5.7, la mise au point a été faite sur la fille de droite en avant, à 1,5 mètre ; le premier plan, mais lui seul, est net alors que tout le reste de la photo est flou jusqu'à l'édifice en arrière-plan. Dans la figure 5.8, la mise au point a été faite sur l'enfant qui est au fond, à 10 mètres de distance ; la fille du premier plan devient évidemment floue mais la profondeur de champ est très grande, car elle s'étend dans tout le reste de la photo.

Dans les photographies couleur 11 et 12, c'est le facteur distance de mise au point qui entre en jeu. Les deux photographies du jardin ont été prises à la même ouverture, mais, dans le numéro 11, il y a eu mise au point rapprochée sur la quenouille du centre, alors que, dans le numéro 12, elle a été faite à l'infini sur la barrière de verdure. Dans le premier cas, la profondeur de champ est très limitée ; même la quenouille de gauche est hors champ. Dans l'autre photo, tout le paysage est net, la profondeur de champ est très étendue derrière les quenouilles, floues, du premier plan. Évidemment, le photographe choisira l'une ou l'autre de ces photos selon qu'il veut mettre l'accent sur un élément en particulier ou sur le décor en général. L'important est qu'il puisse prévoir, au moment où il appuie sur le déclencheur, ce que sera sa photo terminée.

Beaucoup de personnes reviennent de voyage déçues de leurs photos, constatant qu'elles n'ont pu capter à la fois leur conjoint au premier plan et le paysage à l'arrière. Connaissant les règles de la profondeur de champ, l'amateur averti saura dorénavant que, s'il décide de photographier un gros plan (cactus, oiseau, baigneur, etc.), ce qui est en arrière de son sujet risque d'être flou sur la photo, car sa mise au point est rapprochée. Il saura également que ce flou sera plus ou moins important selon son choix d'ouverture de diaphragme. En effet, les deux facteurs ne sont jamais isolés ; ils se combinent, créant des effets différents selon le réglage des bagues du diaphragme et des distances. Si les deux facteurs réduisant la profondeur de champ se trouvent réunis, la mise au point devra être faite avec beaucoup de précision pour que le sujet soit très net.

Deux circonstances demandent une attention particulière concernant la profondeur de champ : la macrophotographie et la prise de portraits. En macrophotographie, le photographe est très rapproché de son sujet. Dans ce cas, le second facteur, soit celui de la distance de mise au point, est le principal joueur. La profondeur de champ est parfois réduite à quelques millimètres seulement, comme dans la photo couleur 5. Il est alors préférable de fermer le diaphragme au maximum pour minimiser l'effet de la mise au point rapprochée, ce qui créera l'obligation de photographier à des vitesses lentes, d'où la nécessaire utilisation d'un trépied.

Dans le cas du portrait, c'est un choix purement esthétique. Désire-t-on un décor net? C'est souvent le cas en photographie de voyage alors qu'on veut capter en souvenir à la fois notre compagnon et le château ou le paysage environnant. Par contre, un arrière-plan flou a souvent pour qualité première d'isoler la personne et de lui accorder toute l'importance visuelle. Voyez les figures 5.9 et 5.10 et constatez comment, dans ce cas, la photographie 5.10 avec son arrière-plan hors foyer est beaucoup plus intéressante. Les photographies d'enfants dans notre banal environnement urbain sont souvent meilleures lorsqu'elles sont prises avec un diaphragme ouvert, d'autant plus qu'en luminosité normale, cela entraîne une vitesse plus rapide, beaucoup plus commode pour figer les jeunes avec naturel sur le vif sans avoir à les faire poser.

FIGURE 5.9

Mise au point rapprochée et petite ouverture

FIGURE 5.10

Mise au point rapprochée et grande ouverture

LA LONGUEUR FOCALE DE L'OBJECTIF

LA PROFONDEUR DE CHAMP ET LA LONGUEUR FOCALE DE L'OBJECTIF

Le troisième et dernier facteur déterminant la profondeur de champ est la longueur focale de l'objectif (voir les types d'objectifs au chapitre 2, p. 21):

> À une même distance de prise de vues
> et à une même ouverture,
> un objectif à courte focale donnera
> plus de profondeur de champ qu'une longue focale.

FIGURE 5.11

Photo prise avec un objectif normal

FIGURE 5.12

Photo prise avec un téléobjectif

Ainsi, un grand angulaire de 28 mm, par exemple, créera une profondeur de champ plus étendue qu'un téléobjectif de 135 mm. Plus la focale est longue, plus la profondeur de champ sera réduite. Ainsi, le photographe ornithologue qui travaille avec un 500 mm disposera d'une profondeur de champ extrêmement limitée: l'oiseau qu'il vise sera net devant un fond flou. Les photos des figures 5.11 et 5.12 montrent bien la différence de profondeur de champ entre un objectif normal et un téléobjectif. Ces deux photographies ont été prises à une même ouverture de diaphragme et à la même distance des sujets. Le seul élément qui diffère est la focale des objectifs utilisés. Dans la figure 5.11 la profondeur de champ s'étend de l'avant à l'arrière-plan alors que, dans la figure 5.12, le sujet seul est net devant un fond flou.

Il n'y aura pas d'exercice pratique lié à ce troisième facteur puisqu'il suppose que le photographe possède plus d'un objectif. Mais si vous avez un grand angulaire, un téléobjectif ou un zoom, je vous invite à faire vos propres expérimentations.

QUESTION PRATIQUE

Les règles de profondeur de champ étant maintenant connues, le photographe qui veut maîtriser la prise de vue de ses images ne peut ignorer cet élément déterminant. En pratique toutefois, une grave difficulté se présente. Afin de permettre une vision claire du sujet, tous les appareils photo reflex nous le font voir dans le viseur à la plus grande ouverture du diaphragme, quel que soit le réglage effectué sur le barillet. On peut facilement le constater en changeant l'ouverture du diaphragme d'un objectif tout en gardant l'œil collé au viseur : on n'aperçoit aucun changement alors que, normalement, le passage de f/4 à f/16 par exemple devrait assombrir l'image puisque l'ouverture rapetisse.

La réponse à cette énigme réside dans le fait que les appareils sont fabriqués de telle sorte que la fermeture présélectionnée du diaphragme ne s'effectue qu'au moment où le photographe appuie sur le déclencheur. Cette amélioration – la fermeture et l'ouverture manuelle des premiers objectifs représentaient une grande perte de temps – nous empêche toutefois de voir l'image telle qu'elle sera sur la pellicule impressionnée. Une question capitale se pose alors : comment prévoir quelle sera la zone nette et la zone floue dans la photo terminée ? Autrement dit, peut-on «prévisualiser» la profondeur de champ ?

LA PRÉVISUALISATION DE LA PROFONDEUR DE CHAMP

Jadis, un feuillet accompagnant parfois l'objectif au moment de l'achat présentait un tableau chiffré délimitant en pieds ou en mètres la zone de netteté propre à cet objectif, selon ses diverses ouvertures et les diverses distances de mise au point. L'utilisateur savait alors qu'avec un téléobjectif de 200 mm, par exemple, lorsqu'il faisait une mise au point à 5 mètres, il disposait, à une ouverture de f/11, d'une zone de netteté commençant à 4,8 mètres de l'appareil photo et se terminant à 5,2 mètres. À moins d'être un expert en évaluation des distances, ces tableaux n'étaient pas vraiment pratiques.

PHOTO COULEUR 10

L'échelle de profondeur de champ
gravée sur l'objectif

Une autre façon de calculer la profondeur de champ se trouve sur le barillet même des objectifs où est gravée leur échelle de profondeur de champ spécifique. C'est une bague fixe qui se présente sous la forme de chiffres identiques de part et d'autre d'un point de repère central (FIGURE 5.13). Ces chiffres sont les mêmes que ceux des ouvertures «f» de l'objectif.

FIGURE 5.13

Avec, par exemple, une mise au point à 3 mètres et une ouverture de f/16 sur un objectif normal de 50 mm, la profondeur de champ s'étendra selon la distance comprise entre les deux chiffres 16 de l'échelle de profondeur de champ, de part et d'autre du repère, soit de 2 à 8 mètres environ dans le présent exemple. Cette distance se lit sur les graduations de la bague des distances qui sert à faire la mise au point.

Cette bague est disparue avec l'apparition des appareils autofocus et la popularité des petits zooms qui, de nos jours, remplacent souvent l'objectif normal. La mise au point se faisant automatiquement, les indications de la bague des distances, peu utilisées, et par conséquent la bague fixe de profondeur de champ, ont été sacrifiées par les fabricants.

Le bouton de contrôle visuel
de la profondeur de champ

Certains appareils comportent un bouton qui permet, quand on l'actionne, d'évaluer à travers le viseur la zone de profondeur de champ qui sera enregistrée sur la photographie. En fait, ce bouton agit sur le diaphragme qu'il ferme à l'ouverture présélectionnée. Il permet, malgré l'assombrissement du viseur qui s'ensuit nécessairement, de voir vraiment quelle est l'importance de la zone de netteté et quelles en sont les limites.

Ce bouton est l'outil le plus pratique pour prévisualiser la profondeur de champ. Tous les appareils n'en sont pas dotés et vous devrez vérifier dans le mode d'emploi si le vôtre, peu importe qu'il ait un certain âge ou qu'il soit de fabrication récente, est muni de ce mécanisme. Si c'est le cas, faites une mise au point sur un objet près de vous puis appuyez sur le bouton en ouvrant complètement le diaphragme, puis en le fermant. Regardez bien à l'arrière-plan et vous verrez la différence de profondeur de champ. Prenez l'habitude de vous servir de ce dispositif; il vous sera très utile.

Un tableau pratique

Que votre appareil dispose ou non d'un bouton de contrôle visuel de la profondeur de champ, vous devez vous exercer mentalement à établir à l'avance quelle sera l'importance de la profondeur de champ des photos que vous composez de manière à bien les prévisualiser. Le tableau qui suit résume les grandes règles énoncées dans le chapitre.

Profondeur de champ	
Étendue	Réduite
Petite ouverture (p. ex. f/16)	Grande ouverture (p. ex. f/2.8)
Mise au point éloignée (p. ex. à l'infini)	Mise au point rapprochée
Objectif à courte focale (p. ex. grand angulaire)	Objectif à longue focale (p. ex. téléobjectif)

Questions

1. Je désire photographier mon chien devant la niche que je viens de lui construire et je voudrais que celle-ci soit aussi nette que l'animal. Devrais-je diaphragmer à f/2 ou à f/11? _____.

2. Mon objectif normal est ouvert à f/8. Aurai-je plus de profondeur de champ si je fais la mise au point à 5 mètres ou à l'infini? _____.

3. Je photographie le cœur d'une fleur avec mon objectif macro. Aurai-je une grande profondeur de champ? _____.

4. Je suis ornithologue et utilise un objectif de 300 mm pour photographier les fauvettes. Mon voisin est amateur de chevaux et photographie avec un objectif normal de 49 mm. Nous ouvrons tous les deux à f/8. Aurons-nous la même profondeur de champ? _____.
   Pourquoi? _____
   _____

5. J'ai un grand angulaire et je photographie le mont Saint-Hilaire vu de loin. Je ferme à f/11. La profondeur de champ sera-t-elle étendue ou restreinte? _____.
   Pourquoi? _____
   _____

6. Mon frère et moi sommes jumeaux. Nous avons reçu en cadeau des appareils photo identiques. Nous sommes à photographier des zèbres dans un zoo et réglons nos appareils à 1/125 et f/8. Je fais la mise au point sur le zèbre qui est le plus près de nous; mon frère fait sa mise au point sur un groupe à l'arrière-plan. Lequel des deux aura le plus de profondeur de champ? _____.
   Pourquoi? _____
   _____

7. Je fais le portrait de Stéphanie qui quitte pour l'école. J'ai trouvé le décor idéal, mais les poubelles du voisin se profilent à l'arrière-plan. Or, il n'est pas question que je les déplace. Que devrai-je donc faire?
   _____
   _____

8. f/5.6 à 1/125 = f/11 à 1/30. Est-ce exact? _____.

9. Je me suis acheté un zoom de 70-210 mm. Aurai-je plus de profondeur de champ si je le règle à 210 mm ou à 70 mm? _____.

10. Vrai ou faux?
   _____ a) La profondeur de champ est plus grande à f/16 qu'à f/8.
   _____ b) Plus on se rapproche du sujet, plus la profondeur de champ est grande.
   _____ c) Un objectif de 28 mm offre plus de profondeur de champ qu'un objectif normal.

Voir les réponses à la page 111.

FICHE PRATIQUE 5 Expérimentation

OBJECTIF

Clarifier et concrétiser la notion de profondeur de champ.

MATÉRIEL NÉCESSAIRE

Un appareil 35 mm et un film d'au moins 24 poses qui servira également à faire l'exercice de la fiche pratique numéro 6 ou un appareil numérique.

INSTRUCTIONS GÉNÉRALES POUR LA PRISE DE VUES

- Vous devez toujours suivre les indications de votre posemètre pour avoir une exposition correcte.
- N'utilisez pas le mode programme.
- Si votre appareil offre le choix entre divers modes automatiques, faites cet exercice en mode «priorité à l'ouverture».
- Composez toutes vos photos devant un fond de scène qui s'étend en profondeur dans le lointain.

PHOTOS À PRENDRE

(indiquer le numéro de la photo dans le carré)

❶ La profondeur de champ et l'ouverture du diaphragme

- Prendre deux photos de compositions identiques d'un même sujet rapproché (entre 1 et 2 mètres) sur lequel est faite la mise au point.
- Varier l'ouverture, tout en conservant des expositions équivalentes. Il est fort probable qu'on atteigne la limite des capacités de l'appareil et que les ouvertures extrêmes du diaphragme ne puissent être utilisées. Utiliser l'ouverture la plus petite et la plus grande possible. En cas de vitesses lentes, se servir d'un trépied ou encore stabiliser l'appareil.
- Faire l'exercice avec deux sujets différents.

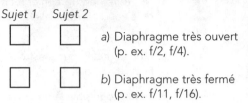

Sujet 1   Sujet 2

a) Diaphragme très ouvert (p. ex. f/2, f/4).

b) Diaphragme très fermé (p. ex. f/11, f/16).

❷ La profondeur de champ et la mise au point

- Prendre deux photos de compositions identiques d'un même sujet rapproché (entre 1 et 2 mètres).
- Prendre les deux photos selon les mêmes coordonnées d'exposition (vitesse et ouverture identiques). Choisir une ouverture moyenne (p. ex. f/5.6).
- Ne pas déplacer l'appareil et varier la distance à laquelle la mise au point est faite.
- Faire l'exercice avec deux sujets différents.

Sujet 1   Sujet 2

a) Faire la mise au point sur le sujet rapproché (au premier plan).

b) Faire la mise au point à l'infini (à l'arrière-plan).

❸ La profondeur de champ et le portrait

- Prendre deux portraits en plan poitrine.
- Varier l'ouverture, tout en conservant des expositions équivalentes.
- Faire l'exercice avec deux décors différents.

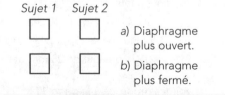

Sujet 1   Sujet 2

a) Diaphragme plus ouvert.

b) Diaphragme plus fermé.

❶ La profondeur de champ et l'ouverture du diaphragme

Les photos *a* devraient présenter un arrière-plan qui manque de netteté (profondeur de champ réduite), alors que les photos *b* devraient offrir un arrière-plan beaucoup plus précis (plus grande profondeur de champ).

❷ La profondeur de champ et la mise au point

Les photos *a* devraient présenter une profondeur de champ réduite, alors que les photos *b* devraient offrir une profondeur de champ beaucoup plus importante.

❸ La profondeur de champ et le portrait

Les résultats devraient être les mêmes qu'en 1.

FICHE PRATIQUE **5** Expérimentation
Observations et analyse

6

Situations particulières

On sait maintenant qu'un réglage adéquat des dispositifs d'ouverture et d'obturation donne pour résultat une photo bien exposée, offrant une bonne distribution des tons clairs et sombres, et que toute erreur d'exposition produira une photo soit sous-exposée, c'est-à-dire trop sombre et sans détails dans les zones les plus foncées, soit surexposée, c'est-à-dire trop claire et sans détails dans les zones éclairées. Le réglage se fait à partir des indications du posemètre, cet instrument perfectionné intégré à l'appareil photo qui indique les combinaisons ouverture du diaphragme et vitesse d'obturation pouvant être utilisées en rapport avec l'éclairage sous lequel on travaille.

Cependant, le posemètre n'est qu'une «machine» qui ne peut être parfaitement adaptée à toutes les circonstances. C'est un instrument ajusté pour évaluer des scènes «normales» dans lesquelles la distribution des zones d'ombre et de lumière est équilibrée. Autrement dit, les posemètres sont conçus et calibrés pour «juger» des scènes dont la valeur lumineuse moyenne est équivalente au gris (valeur intermédiaire entre le noir et le blanc). Si la scène à photographier n'est pas uniformément claire ou sombre, le posemètre indiquera une valeur d'exposition correcte, correspondant à la moyenne de luminance des diverses zones de la scène. Toutefois, quand le sujet ne présente pas ces caractéristiques, il faut «corriger» le posemètre et surexposer ou sous-exposer, sinon il sera rendu par un ton moyen qui ne correspond pas à sa tonalité réelle.

Depuis leur invention, les posemètres ont beaucoup évolué : les derniers-nés « lisent » la luminosité avec plus de subtilité que ceux de jadis. Toutefois, ils ne seront jamais assez « intelligents » pour reconnaître le sujet principal visé par le photographe. En situation de contraste, par exemple, ils choisiront un élément au détriment de l'autre et le résultat sera insatisfaisant. Dans la mesure où la majorité des photographies prises par les amateurs comprennent des personnes comme sujets principaux, très fréquentes sont les situations où le photographe ne peut plus se fier à son posemètre. Il faut savoir les reconnaître et apprendre à surmonter les difficultés qu'elles comportent. Le présent chapitre traite de ces situations problématiques et montre comment les résoudre.

LE CONTRE-JOUR

Le problème de contraste le plus commun est celui du contre-jour : le sujet principal tourne le dos à la lumière à laquelle l'appareil photo doit faire face. Dans tous les albums de photos de famille, on trouve des personnes aux visages trop sombres, pour avoir posé devant un fond de ciel ou un décor (la plage, la neige) très lumineux. Dans un tel cas, suivre les indications du posemètre donnera une photo dans laquelle le sujet se profilera, sombre silhouette méconnaissable, sans détails perceptibles, sur un fond clair. La recommandation traditionnelle selon laquelle le photographe doit toujours tourner le dos au soleil auquel le sujet fait face tenait compte de ce phénomène. Elle ne réglait pas tout cependant, car les sujets photographiés face au soleil présentaient souvent de tout petits yeux plissés et, en particulier dans le cas des enfants, des mines grimaçantes. En contre-jour, seule une correction d'exposition donnera les indications permettant une photographie correctement exposée, comme le démontrent les photos couleur 13 et 14.

La lecture rapprochée

Une solution au contre-jour est la méthode de la lecture rapprochée. Dans ce cas, le calcul de l'intensité lumineuse, effectué par le posemètre, est faussé par une importante zone claire en arrière-plan. Il s'agit pour le photographe de s'approcher du sujet important de façon qu'il remplisse le cadre du viseur, d'y faire une lecture du posemètre, puis de prendre la photo selon cette lecture. Ainsi, l'arrière-plan sera très clair, mais le sujet principal sera correctement exposé.

Illustrons le procédé à l'aide des photos couleur 13 et 14. La première a été prise à partir des indications dictées par le posemètre (1/2000 à f/4) ; le soleil était couchant mais le ciel encore lumineux, d'où cette vitesse très rapide. Pour réaliser la seconde, on a suivi les indications d'une lecture rapprochée sur le visage de la dame au parcomètre (1/125 à f/4), constituant un écart important de quatre crans : le ciel devient complètement délavé, mais le sujet, et c'est ce qui nous importait, est correctement exposé.

En pratique, quand vous avez trouvé une situation spéciale (sujet devant un fond de ciel, par exemple), il vous faut prendre en note les indications de votre posemètre (supposons 1/125 à f/11). Puis, rapprochez-vous de votre sujet et faites une autre lecture. À quelle distance? Il est difficile de l'indiquer avec précision, mais retenez que vous devez « remplir » votre viseur avec votre sujet, de sorte que le posemètre ne tienne compte que de sa luminance. Notez les nouvelles indications (supposons 1/125 à f/5.6). Retournez à votre position initiale et prenez la photographie selon ces nouvelles indications.

La compensation d'exposition

En pratique, comment procéder pour corriger le posemètre et régler l'appareil selon une mesure rapprochée? En mode semi-automatique, il s'agit tout simplement d'ouvrir et de fermer le diaphragme ou de changer la vitesse, en oubliant les indications erronées des aiguilles ou des diodes de l'appareil.

En mode automatique ou programme, par contre, le posemètre reprendra sa lecture initiale dès que vous reviendrez, dans le viseur, au cadrage initial. C'est pourquoi ces appareils sont dotés d'un dispositif de compensation d'exposition. On peut en voir un exemple à la figure 2.1 *a* (p. 17). Relié au sélecteur de sensibilité du film, ce correcteur se présente ici sous la forme d'un cadran sur lequel sont inscrits des chiffres (+2, +1, −1, −2) avec des positions intermédiaires. Selon le réglage effectué, la photo sera prise à un ou deux crans de plus ou de moins que ne le demande la lecture du posemètre. Les appareils dotés d'un écran y affichent ces valeurs qui vont souvent jusqu'à 3 (0.0, 0.5, 1, 1.5, 2.0, 2.5, 3.0 en plus ou en moins). On y accède en appuyant sur un bouton (portant souvent le ±) tout en tournant la molette indiquée dans le mode d'emploi. L'important est de bien mesurer l'écart entre la lecture initiale et la lecture rapprochée, puis d'effectuer le réglage en conséquence. Attention toutefois de bien remettre l'indicateur à 0 avant de continuer à photographier; c'est une erreur fréquente d'oublier de le faire et de terminer le film avec un ou deux crans de surexposition.

Un autre dispositif, présent sur beaucoup d'appareils, simplifie la compensation d'exposition. C'est un bouton qui, quand on le presse, mémorise l'exposition. Vous appuyez donc sur ce bouton en situation de lecture rapprochée et, tout en le maintenant enfoncé, vous reprenez votre position initiale et déclenchez. La photo sera prise selon les coordonnées de la lecture rapprochée. Le mode d'emploi de votre appareil vous renseignera sur la bonne façon d'utiliser cette option.

Une dernière façon de procéder, si votre appareil argentique ne possède aucun des dispositifs précédents, est de changer l'indicateur ISO de la pellicule. Pour augmenter d'un cran, diminuez de moitié le chiffre des ISO et faites l'inverse pour diminuer l'exposition.

Toutefois, il y a des circonstances où la lecture rapprochée est impossible, par exemple si vous photographiez une vedette à son insu ou encore un animal sauvage dans son enclos au zoo. Il faut alors évaluer « à l'œil » les qualités lumineuses de la scène. Mais retenez qu'un contre-jour d'intensité moyenne demande habituellement un cran et demi de compensation (choisir une ouverture de diaphragme plus ouvert d'un cran et demi ou une vitesse plus lente d'un cran et demi). C'est pourquoi certains appareils des années 80 ne comportent qu'un seul dispositif pour compenser le contre-jour : un bouton servant à augmenter l'exposition d'un cran et demi dans ce cas.

LES SCÈNES CONTRASTÉES

Le contre-jour est une situation de contraste exemplaire. Il en existe toutefois d'autres, moins spectaculaires, qui demandent elles aussi une correction d'exposition. Une scène est dite « contrastée » quand elle présente d'importantes zones claires côtoyant de fortes zones d'ombre : une fleur blanche dans un bouquet d'herbes vertes, par exemple. La lecture du posemètre donnera plus d'importance à la zone qui couvre le plus de surface dans le viseur, le feuillage dans le cas présent, et le résultat ne sera pas satisfaisant.

Le portrait sur fond sombre est un exemple courant de scène contrastée. On photographie un ami devant une haie. Il est fort possible que, dans ce cas, le posemètre, considérant l'importance du fond sombre dans l'image, dicte des coordonnées qui font entrer suffisamment de lumière pour bien exposer les cèdres de la haie, mais qui, par contre, surexposent le personnage dont le teint est plus clair. Dans la mesure où ce qui nous importait était le portrait de notre ami, la photo est ratée.

Inversement, le portrait non corrigé d'une personne sur un fond pâle, notamment un mur blanc, risque d'être sous-exposé si le mur est suffisamment pâle pour fausser le posemètre qui aura « lu » le mur et coupé l'entrée de lumière au détriment du sujet.

Les photographies couleur 15 et 16 illustrent ce phénomène. Elles ont toutes deux été prises sous un même éclairage, à quelques secondes d'intervalle, selon les indications du posemètre. Remarquez les différences de tons du visage, du blouson et du vert de la tondeuse. Sur la photo 15, le mur clair a amené le posemètre à dicter 1/250 à f/4 alors que, sur la photo 16, les coordonnées étaient 1/60 à f/4, soit un écart de deux crans d'une lecture à l'autre. Une lecture rapprochée du visage aurait donné au conducteur un teint plus près de la réalité dans chacun des cas.

La lecture moyenne

La situation se corse quand la scène à photographier présente deux zones, l'une très sombre et l'autre très claire, mais d'égale importance. La situation est fréquente. La photo de mariage où se côtoient la mariée en robe blanche et son conjoint en complet marine est un exemple classique. Dans le même esprit, pensons à la photo souvenir d'une ruelle européenne typique où les édifices créent des zones fortement ombragées contrastant avec les éclaircies inondées par le soleil. Comment procéder ? Une lecture sélective de l'une ou de l'autre des zones équivaudrait à donner la priorité à l'un des deux nouveau-mariés ou aux édifices au détriment du reste de la scène.

La solution réside dans la lecture moyenne. Il s'agit d'effectuer deux lectures puis de prendre la photo selon la moyenne ; les deux zones seront non pas parfaitement exposées, mais acceptables.

Les photos couleur 17, 18 et 19 illustrent la solution de la lecture moyenne. La scène présente un marché couvert. La journée est ensoleillée. Il en résulte un fort contraste entre la rue à l'arrière-plan et l'étal de la marchande sous la toiture. Pour la photo numéro 17, une lecture sélective du posemètre fut prise dans la rue (1/250 à f/5.6) ; le camion à droite de l'image et l'édifice que l'on entrevoit à l'arrière sont parfaitement exposés. Par contre, la zone marchande sous les auvents est totalement noire, sous-exposée. Pour la photo numéro 18, le posemètre fut dirigé à gauche de sorte que le viseur ne contienne que des éléments compris dans la zone ombragée et la photo fut prise à 1/30 à f/4. Résultat : une image surexposée dans la rue et correcte de l'étalage. Si l'on additionne les écarts de vitesse (+3 crans) et d'ouverture (+1 cran), on obtient une différence totale de 4 crans. La troisième photo fut prise selon des coordonnées d'exposition médianes par rapport aux précédentes : 1/125 à f/4, ce qui correspond à +2 crans par rapport au numéro 17 et à −2 crans par rapport au numéro 18. On remarque une légère surexposition dans la rue et une sous-exposition de l'autre partie, mais le résultat est acceptable. Enfin, notez que chacune de ces trois photographies peut être intéressante ; tout dépend de l'objectif visé par le photographe.

Il n'y a pas de différence entre l'appareil argentique et l'appareil numérique en ce qui concerne les corrections d'exposition en cas de situations particulières. Le petit tableau qui suit rappelle de façon schématique dans quel sens il faut compenser l'exposition en cas de contrastes. De toute façon, dans le doute, il est toujours bon de faire plusieurs photos en augmentant ou en réduisant l'exposition de plus d'une valeur au-dessus ou au-dessous de la première pour augmenter les probabilités de réussite. Les professionnels font régulièrement ce « bracketing ».

Rappel
Les contrastes
Sujet foncé sur arrière-plan pâle ou en contre-jour : augmenter l'exposition.
Sujet pâle sur arrière-plan sombre : diminuer l'exposition.

La photographie de nuit

Il est possible de faire de la photographie sous d'autres éclairages que la lumière du jour. Les images prises au crépuscule ou la nuit sous un éclairage artificiel, par exemple, peuvent être spectaculaires. Elles sont cependant délicates à réaliser, car on ne peut se fier à son seul posemètre. Dans beaucoup d'appareils, ce dernier est programmé pour calculer des vitesses lentes jusqu'à 30 secondes, mais, comme dans les situations de contrastes, il donnera plus d'importance à une zone, sombre ou lumineuse. Les résultats seront plus ou moins intéressants mais souvent inattendus.

Les couchers de soleil sont peut-être les photos de nuit les plus faciles à réaliser, car les zones contrastées sont clairement séparées : le ciel, lumineux et coloré, et le sol, sombre et sans détails. Pointer son viseur vers le sol, y prendre une lecture du posemètre, recadrer avec le ciel et prendre une photo selon cette lecture donnera une scène présentant des détails mais un ciel pâle et délavé. Faire au contraire une lecture sur le ciel, à l'endroit où les couleurs sont les plus intéressantes, recadrer en incluant le sol et déclencher en conservant les coordonnées initiales procurera un ciel aux couleurs vives avec, au bas de l'image, une scène sombre. L'important est d'éviter de pointer l'objectif directement sur le soleil et de bien choisir les éléments (arbre, édifice, etc.) que l'on désire capter en silhouette à l'avant-plan. Le ciels les plus spectaculaires sont pris tout juste quelques secondes après que le soleil a disparu derrière l'horizon.

Les luminosités problématiques

En situation de faible luminosité, il peut être utile d'utiliser un film de haute sensibilité (le chapitre 7 y est en partie consacré) pour raccourcir le temps de pose, alors que, devant une scène très lumineuse (rue illuminée, néon), il sera possible de tenir l'appareil à la main, car l'éclairage permettra des vitesses de 1/30 s ou 1/60 s.

Dans beaucoup d'occasions, le trépied et le déclencheur souple deviennent des accessoires pratiques, sinon indispensables (il en sera question au chapitre 9) pour stabiliser l'appareil. Dans tous les cas, il est recommandé de faire du « bracketing » en prenant plusieurs poses avec un ou deux crans (d'ouverture ou de vitesse) de plus et de moins que l'exposition initiale. Il est alors important de prendre des notes de ses expérimentations de façon à pouvoir reproduire les effets intéressants que l'on obtient. Cela devient particulièrement vrai en cas de poses longues sur bulb (ou B), calculées à l'aide d'une montre.

À des vitesses très lentes (de $1/4$ s à bulb ou B), il faut faire attention aux lumières parasites qui peuvent gâcher une partie de la photo en la surexposant ou la sous-exposant. Supposons par exemple que le photographe vise un édifice illuminé (un château, une église). Un lampadaire adjacent à la scène pourra créer une zone surexposée dans l'image ou encore amener le posemètre à raccourcir le temps de pose, ce qui aura pour effet de sous-exposer le monument.

Trois exemples

Pour obtenir la photographie couleur 20, trois photos du pont ont été prises. La première selon le posemètre, la deuxième en réduisant l'exposition d'un cran et la troisième en augmentant l'exposition de +1. C'est cette dernière qui a été retenue. L'appareil était déposé sur un banc et j'avais actionné le retardateur de manière à éviter les risques de bougé en déclenchant. Une sculpture, un monument ou une fontaine illuminés pourraient être captés de façon semblable.

Le manège (photo couleur 8) a nécessité l'usage d'un trépied. Systématiquement, j'ai pris tout un film de 36 poses de 400 ISO et fait des expositions à une ouverture de f/11 à des vitesses différentes variant de 1 à 30 secondes. J'ai trouvé que cette photo-ci était la plus intéressante.

Pour saisir un feu d'artifice comme dans la photo couleur numéro 6, il faut d'abord placer l'appareil sur un trépied, orienter l'objectif vers le ciel à l'endroit où vont éclater les feux et faire la mise au point à l'infini. En laissant le capuchon sur l'objectif, il faut ensuite bloquer le déclencheur (avec un déclencheur souple) sur bulb (ou B). À l'arrivée des premiers feux, retirer le capuchon quelques secondes, le temps que la pièce pyrotechnique se développe puis cacher le devant de l'objectif avec une casquette ou un carton noir, par exemple, jusqu'à l'arrivée de la pièce suivante. On peut ainsi mettre plusieurs pièces sur la même photo. Avec de petites ouvertures (ici f/11), les lignes seront minces ; elles seront plus larges avec de grandes ouvertures.

Dans le domaine des luminosités particulières, l'expérimentation est de rigueur. C'est pourquoi le tableau qui suit ne donne qu'un point de départ à partir duquel il faut nécessairement faire du « bracketing ». Les coordonnées sont données pour un film de 200 ISO ou l'équivalent en numérique. Avec un film de 100 ISO, il faut doubler l'arrivée de lumière et couper de moitié avec un 400 ISO.

Photographie de nuit	
Temps de pose pour un film de 200 ISO	
Néons	1/60 à f/4
Décorations de Noël (guirlandes électriques)	1 s à f/5.6
Feux d'artifice	bulb (B) à f/11
Rues illuminées	1/30 à f/2.8
Fontaine, édifice, sculpture éclairés par des projecteurs	$\frac{1}{2}$ à f/4
Traînées lumineuses d'automobiles	10 s–20 s à f/11

Questions

1. Je veux photographier mon copain en silhouette devant le soleil se couchant sur la Méditerranée. Quels réglages dois-je faire? _____

_____

2. Mon fiancé est un Noir, tout de noir vêtu. Je veux le photographier devant un mur beige. Il fait soleil. Mon posemètre indique f/16 à 1/125.
Devrais-je suivre ces indications? _____.

Pourquoi? _____

_____

3. Mon fils a réussi à grimper dans une cage d'exercices au terrain de jeux. Il se découpe sur un fond de ciel clair. Mon posemètre indique f/22 à 1/125.
Devrais-je suivre ces indications? _____.

Pourquoi? _____

_____

4. Mon amie se balade sur la plage par une belle journée ensoleillée de juillet. Quelles précautions devrais-je prendre si je veux bien voir son sourire sur la photo?

_____

_____

5. Mes parents fêtent leurs noces d'or. Ma mère a mis sa robe rose très pâle et mon père un complet gris sombre. Je veux une photo en souvenir de ce couple heureux. Puis-je me fier à mon posemètre? _____.

_____

_____

6. Je visite un joli village de Normandie et voudrais photographier la ruelle qui mène à la cathédrale. Le temps est clair et ensoleillé, mais la chaussée baigne dans l'ombre à cause de l'étroitesse du passage. Comment m'y prendre pour avoir une photo satisfaisante de cette scène comprenant à la fois la ruelle et la cathédrale?

_____

_____

7. Je suis sur la rue principale à Las Vegas et je veux photographier la féerie de ces innombrables enseignes lumineuses. Comment faire? _____

_____

8. Quelle compensation d'exposition doit-on habituellement effectuer pour un contre-jour d'intensité moyenne? _____

_____

Voir les réponses à la page 111.

FICHE PRATIQUE 6 Expérimentation

OBJECTIF

Apprendre à faire face aux situations particulières.

MATÉRIEL NÉCESSAIRE

Un appareil photo 35 mm et les 12 poses restantes du film de 24 poses ayant servi à faire l'exercice de la fiche pratique 5 ou un appareil numérique.

INSTRUCTIONS GÉNÉRALES
POUR LA PRISE DE VUES

Ne pas utiliser le mode programme.

PHOTOS À PRENDRE
(indiquer le numéro de la photo dans le carré)

❶ Un portrait sur deux fonds différents

- Prendre deux fois le même portrait d'un sujet en suivant les indications du posemètre.
- Un plan poitrine du sujet donnera les meilleurs résultats.
- Faire l'exercice avec deux sujets différents.

Sujet 1   Sujet 2

a) Placer son sujet devant un fond très pâle (p. ex. un mur blanc).

b) Placer son sujet devant un fond très foncé (p. ex. une haie de conifères).

❷ Le sujet en contre-jour : la compensation d'exposition

- Placer une personne en contre-jour : le sujet tourne le dos au soleil auquel le photographe doit faire face. Noter que, dès qu'un sujet se découpe sur un fond de ciel, même s'il est nuageux, il est en contre-jour.
- Faire attention à ce que le soleil ne pénètre pas directement dans l'objectif.

- Effectuer les compensations d'exposition selon les caractéristiques de l'appareil (manuellement ou à l'aide du dispositif de compensation d'exposition).
- Les compensations manuelles d'exposition peuvent être faites en changeant les ouvertures ou les vitesses, peu importe.
- Faire l'exercice avec deux sujets différents.

Sujet 1   Sujet 2

a) Prendre une photo en suivant les indications du posemètre.

b) Compenser l'exposition de +1$\frac{1}{2}$ par rapport à la lecture précédente.

❸ Le sujet en contre-jour : la lecture rapprochée

- Prendre deux fois le portrait d'un sujet en contre-jour.
- Calculer l'écart entre la lecture initiale du posemètre et la lecture rapprochée, et utiliser les dispositifs de compensation d'exposition ou se servir du dispositif de mémorisation de l'exposition.

a) Selon les indications du posemètre.

b) Selon les indications d'une lecture rapprochée.

❹ La photographie de nuit

- Prendre deux photos différentes de scènes de crépuscule ou de nuit (coucher de soleil, rue illuminée, néons, vitrine, etc.)
- Stabiliser l'appareil et se fier au posemètre, ou suivre les indications du tableau des temps de pose (p. 74).

 a)   b)

RETOUR

❶ Un portrait sur deux fonds différents

Les deux photos devraient être différentes (visage plus sombre en *a* et plus clair en *b*), démontrant de façon concrète les limites du posemètre.

❷ Le sujet en contre-jour : la compensation d'exposition

Les photos *a* devraient présenter un sujet trop sombre et sans détails. Les sujets des photos *b* devraient être plus clairs.

❸ Le sujet en contre-jour : la lecture rapprochée

Le visage de la photo *a* devrait être trop sombre. Celui de la photo *b* devrait présenter suffisamment de détails.

❹ La photographie de nuit

Il est toujours difficile de prévoir le résultat d'une photo de nuit, mais conservez les coordonnées (vitesse et ouverture) de ces deux photos ; elles devraient vous servir de point de départ pour la prise d'autres photos de sujets semblables.

FICHE PRATIQUE **6** Expérimentation
Observations et analyse

COMPLÉMENTS À L'APPAREIL PHOTO

TROISIÈME PARTIE

COMPLÉMENTS À L'APPAREIL PHOTO

À ce stade-ci de votre apprentissage, vous êtes en mesure d'utiliser convenablement votre appareil photo. Vous connaissez l'emplacement, l'utilité et le fonctionnement de chacun de ses mécanismes.

La troisième partie du manuel vient alors compléter les acquis des deux premières par d'autres connaissances, parachevant ainsi votre initiation au monde de la photographie.

Dans le chapitre 7, on s'attardera à analyser les caractéristiques du film argentique et du « film » numérique. Les fiches d'observation et d'expérimentation du chapitre 8 vous permettront de vous familiariser avec le flash. Enfin, le chapitre 9 comporte des conseils sur l'entretien de base de votre appareil et des renseignements sur quelques accessoires pouvant enrichir votre équipement de photographie.

CHAPITRE

7

Le film et la carte mémoire

DÉFINITIONS

DÉFINITIONS

Les premières images photographiques étaient fixées sur un support constitué de verre et de métal. Le daguerréotype, par exemple, était un positif unique tiré sur une plaque métallique de cuivre argenté. On expérimenta ensuite plusieurs procédés plus ou moins complexes, puis, vers 1885, George Eastman inventa le premier film gélatine négatif transparent et, quelques années plus tard, fonda la maison Kodak qui le commercialisera en rouleaux. Avec le récent avènement de la photographie numérique, les deux systèmes, argentique et numérique, sont maintenant utilisés pour fixer des images. Voici les principales caractéristiques de chacun.

Le film argentique

Le film (ou pellicule) argentique (FIGURE 7.1) est essentiellement une bande d'acétate souple et transparent qui supporte une mince couche d'émulsion photosensible. La cassette qui le contient est un étui hermétique qui le protège de la lumière jusqu'au moment de l'exposition, puis ensuite jusqu'au développement, alors que l'image sera révélée, puis fixée. Les pellicules photographiques sont de divers types et se distinguent par les caractéristiques de leur composition.

FIGURE 7.1

Boîte et cassette
de film argentique

Le film numérique

Le terme «film» numérique est parfois employé par analogie pour désigner la carte mémoire (FIGURE 7.2) qui remplace le film argentique dans les appareils numériques. Les cartes mémoire les plus répandues prennent la forme d'une disquette d'environ 36 × 42 mm ou plus petites encore. Diverses compagnies les fabriquent, et leur capacité varie (64 Mo, 128 Mo, 512 Mo, 1 Go et plus même). On y archive les photos en différents types de fichiers numériques, le plus populaire étant le JPEG, et sous des formats d'images de tailles différentes (UXGA, SXGA, XGA, VGA…) qui présentent, en outre, un choix de qualités (*basic*, *normal*, *fine*), de sorte qu'une même carte peut contenir un nombre différent de poses selon le réglage effectué par le photographe.

Il n'est pas toujours facile de se retrouver dans cette multiplicité de formats qui, de plus, varient selon les types et les marques d'appareils, d'où la nécessité de bien étudier son mode d'emploi. On y trouve, souvent sous forme de tableau, la relation entre la qualité d'image, sa taille et le poids (p. ex. 1,4 Mo, 150 ko) du fichier en fonction de l'utilisation qui sera faite des photos que l'on va pren-

FIGURE 7.2

Carte mémoire
de 128 méga-octets

dre (impression sur papier, envoi par courriel, site Web). Une carte de 64 Mo, par exemple, permettra de stocker 918 photos de taille réduite au maximum (VGA *basic*), alors qu'elle en contiendra 65 seulement en UXGA de qualité *fine*.

La prise de vues terminée, les photos contenues dans la carte mémoire sont transférées directement dans une imprimante ou dans un ordinateur où elles peuvent être manipulées grâce à un logiciel de traitement d'image comme Photoshop, produit par Adobe. Vidée de son contenu, la carte mémoire peut être réutilisée à nouveau.

CARACTÉRISTIQUES DES FILMS ARGENTIQUES

La sensibilité

Les films argentiques sont sensibles à la lumière. C'est la spécificité de cette sensibilité (on dit aussi « rapidité » ou « vitesse » du film) qui les particularise. Auparavant désignée par les ASA, celle-ci s'exprime maintenant en ISO (Organisation internationale de normalisation). À ce sujet, il est important de savoir que :

> **Plus le chiffre des ISO est élevé,**
> **plus le film est sensible à la lumière.**

Multiplier par deux la valeur des ISO équivaut à doubler la sensibilité du film. Un film de 100 ISO est donc deux fois plus sensible qu'un film de 50 ISO et nécessite deux fois moins de lumière. Il sera par contre deux fois plus lent qu'un film de 200 ISO. Si l'on met cette caractéristique en relation avec ce que l'on sait des coordonnées de l'exposition, cela nous permettra de choisir le film le plus approprié aux circonstances dans lesquelles nous photographions. Ainsi, si le posemètre indique 1/60 à f/8 sous un ciel couvert avec un film de 100 ISO, on saura qu'une pellicule de 400 ISO, quatre fois plus sensible (ce qui équivaut à un écart de deux crans : 100×2, puis 200×2), permettra une vitesse plus rapide de deux crans, soit 1/250.

La gamme de sensibilité des pellicules les plus courantes va de 25 à 3200 ISO. Les pellicules de faible sensibilité (telles que 25 ISO, 50 ISO ou 64 ISO) sont à privilégier les journées où le ciel est très lumineux ou encore avec un trépied. Les films de vitesse moyenne (100 ISO, 200 ISO, etc.) sont des passe-partout par temps clair ou douteux, avec le flash, etc. Quant aux films de haute rapidité (400 ISO, 800 ISO, 1600 ISO…), ils sont utiles quand l'éclairage ambiant est faible, ou pour capter des sujets en mouvement – puisqu'ils permettent d'accroître la vitesse d'obturation –, ou encore pour augmenter la profondeur de champ, en réduisant l'ouverture du diaphragme.

Le sélecteur de sensibilité du film de l'appareil photo, on l'a vu au chapitre 2, transmet cette information au posemètre qui, après évaluation de la lumière ambiante, détermine l'exposition juste pour le type de film inséré dans l'appareil.

La définition

Si toutes les pellicules, quelle que soit leur sensibilité, offraient la même qualité d'image, les photographes n'utiliseraient que du film à très haute sensibilité permettant, en toutes circonstances, un grand choix de vitesses d'obturation et d'ouvertures.

Il y a cependant un écueil : celui de la définition du film, c'est-à-dire sa capacité à rendre une image avec le maximum de précision. Les films à faible sensibilité sont en général plus fins que les autres. Plus le chiffre des ISO est élevé, plus la texture de la photo sera granuleuse. On dira que le « grain » est gros. Adéquat pour des impressions de format réduit, le film très sensible produira de médiocres agrandissements, sans éclat, au grain apparent. La photo couleur 21 montre deux portraits pris avec des films de sensibilité différente (Kodak 1600 ISO à gauche et 100 ISO à droite). À gauche, le grain, très apparent, ne permettrait pas d'agrandir l'image, alors qu'on pourrait tirer une épreuve de grande taille et de bonne qualité avec le négatif qui a été utilisé pour la photo de droite. Ces photos ont été prises avec un appareil 35 mm ; il est évident que, plus la surface du négatif est grande (p. ex. 6 × 6 cm), meilleure sera l'image qu'on en tirera et moindre sera le grain.

CARACTÉRISTIQUES DES FILMS NUMÉRIQUES

La sensibilité

C'est par analogie que les appareils numériques évaluent la sensibilité à la lumière de leurs capteurs en ISO (équivalant à 100 ISO pour la plupart). Certains d'entre eux offrent la possibilité d'utiliser de plus hautes sensibilités, mais cela doit se faire avec prudence, car un important effet de « bruit », similaire en apparence à la granularité du film argentique, peut nuire à la qualité de l'image.

La résolution

La résolution est à l'image numérique ce que la définition est à la photo argentique. Ce qu'on appelle du « grain » dans la photo traditionnelle est ici traduit par des « points d'image carrés ». Ces minuscules carrés, les pixels (le mot vient de *picture elements*), sont uniformément colorés et c'est leur combinaison qui produit l'image. Tout comme on aperçoit le grain quand on agrandit beaucoup un négatif à l'impression, on verra les pixels lorsqu'une image a été captée à basse résolution, alors que, plus ils sont nombreux, plus ils se confondront, donnant une impression de netteté aux surfaces colorées. Dans le portrait de gauche de la photo couleur 22, on distingue bien les pixels ; ceux-ci disparaissent dans le portrait de droite.

On définit la résolution de l'image numérique par la quantité de pixels compris dans un pouce linéaire. Cette unité de mesure est connue sous l'abréviation anglaise « ppi » (*pixels per inch*). La quantité nécessaire de pixels pour avoir une bonne résolution dépend de l'utilisation que l'on veut en faire. Pour diffuser une image sur le Web où elle sera vue sur un écran, 72 ppi suffisent alors qu'il en faut 300 dans une imprimerie commerciale pour l'imprimer convenablement sur papier et 200 dans une imprimante à jet d'encre. L'image de gauche (PHOTO COULEUR 22) ne comporte que 72 ppi – c'est pourquoi les pixels sont apparents à l'impression –, alors que celle de droite, à une résolution de 300 ppi, apparaît nette.

On comprendra alors pourquoi la caractéristique fondamentale d'un appareil photo numérique réside dans le nombre de pixels qu'il peut capter. Prenons comme exemple un appareil des tout premiers débuts ayant une «puissance» de 1,2 MP ou mégapixel, autrement dit un million deux cent mille pixels. Ce chiffre est obtenu par la multiplication des dimensions des images qu'il capte, soit 1260 pixels x 960 pixels, toujours par pouce linéaire. Si l'on décidait d'imprimer une telle image sur papier (on a dit précédemment que pour une impression de qualité il faut 300 pixels par pouce), on aurait une photo de 4,2 po x 3,2 po (environ 11 cm x 8 cm). C'est le maximum que l'on puisse obtenir avec un tel appareil.

TYPES DE FILMS ARGENTIQUES

À l'achat, le photographe a le choix entre un film inversible qui lui donnera des diapositives et un film négatif dont l'on tirera des épreuves sur papier en couleurs ou en noir et blanc. Ces films sont vendus en plusieurs sensibilités et présentent, selon les compagnies qui les fabriquent, des caractéristiques différentes en ce qui concerne la couleur et le contraste. Chaque film a sa personnalité qui plaît plus ou moins aux goûts personnels des photographes qui ne jurent, par exemple, que par le vert Kodak ou le rouge Fuji.

Les films inversibles

Le nom des films inversibles se termine par le suffixe «chrome»: Kodachrome, Elite chrome, Fujichrome, etc. Le développement en laboratoire de ces films donne immédiatement des positifs transparents qui sont montés dans un petit cadre de plastique ou de carton. On les visionne sur un écran à l'aide d'un projecteur. L'avantage des diapositives est leur éclat lumineux et la richesse de leurs couleurs que l'opacité du papier ne peut rendre. Le désavantage avec la diapositive est que c'est un original qui ne peut facilement être reproduit en de multiples exemplaires comme la photo sur papier. De plus, du fait que c'est une image positive, il n'est pas possible d'effectuer des corrections. Toute erreur d'exposition est donc définitive, d'où la nécessité d'exposer ses diapos avec soin. Les laboratoires peuvent tirer des photos sur papier à partir de diapositives, mais le processus est plus coûteux qu'avec un négatif.

Les films négatifs

Les films négatifs produisent un négatif en couleurs ou en noir et blanc sur lequel les tons sont inversés. Les films négatifs en couleurs s'appellent souvent «color» (ex. Kodacolor, Agfacolor). Du négatif, on tire une épreuve positive sur papier qui reproduit la scène originale. Ces films possèdent une latitude de pose supérieure aux films positifs, car le laboratoire peut effectuer des corrections au tirage.

Beaucoup d'amateurs développent et impriment eux-mêmes leurs films en noir et blanc, alors qu'ils font appel à un laboratoire pour le procédé en couleurs, plus complexe. Les fabricants commercialisent maintenant des films en noir et blanc qui, de par leur composition, sont développés selon le même procédé (C-41) que les films négatifs en couleurs. Tirés commercialement, on en obtient souvent une image teintée plutôt qu'en noir et blanc, comme dans la photo couleur 22 à droite qui donne l'impression d'un virage sépia. Des agrandissements sur du vrai papier noir et blanc donneront néanmoins d'excellents résultats.

PHOTO COULEUR ET ÉCLAIRAGE

Les films couleur sont équilibrés pour être utilisés sous un éclairage particulier et sous nul autre. La plupart des films sont étiquetés «lumière du jour», ce qui signifie qu'ils sont balancés pour être pris à l'extérieur ou dans un intérieur où une ouverture (une fenêtre notamment) laisse suffisamment pénétrer la lumière du jour. Un film de «type jour» utilisé sous tout autre éclairage donnera une image avec une dominante colorée désagréable. Un éclairage au tungstène (tels l'ampoule électrique ou l'halogène) donnera à la photo un «fini» jaune-orangé (PHOTO COULEUR 23), alors qu'un éclairage fluorescent se traduira par une teinte verdâtre (PHOTO COULEUR 24) plus ou moins prononcée. Seule la lumière du jour saura restituer les teintes originelles du sujet (PHOTO COULEUR 25).

Cet effet est causé par la nature même de la lumière qui se présente sous des couleurs différentes, invisibles à l'œil humain qui fait automatiquement la correction. Ainsi, la lumière solaire varie du bleu (à midi) à l'orangé (à la fin du jour) selon que le soleil est à son zénith ou qu'il se couche, alors que l'ampoule électrique est toujours jaune. Pour utiliser un film négatif sous un autre éclairage que celui du jour, il faut effectuer des corrections avec des filtres soit à la prise de vues, soit au tirage. Certains films inversibles, pour leur part, sont balancés pour l'éclairage au tungstène. Enfin, notons que les films de «type jour» permettent également de prendre des photos au flash, car la lumière artificielle créée par celui-ci est équivalente à la lumière du jour.

Dans la photo numérique, on fait face au même problème; c'est pourquoi le menu de ces appareils affiche une option, généralement appelée la «balance des blancs», qui offre un choix de réglage selon le type d'éclairage sous lequel on travaille.

CARTE D'IDENTITÉ

CARTE D'IDENTITÉ DU FILM

Le carton d'emballage du film constitue en quelque sorte sa carte d'identité. Tous les renseignements le concernant s'y trouvent. Une bonne connaissance de ces éléments est la clé de son utilisation judicieuse. La figure 7.3 présente les renseignements les plus utiles au consommateur.

FIGURE 7.3

Information figurant sur la boîte de film

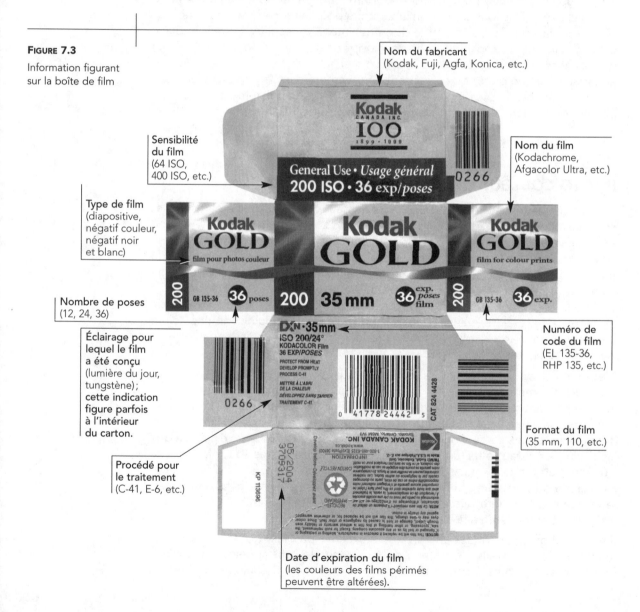

Nom du fabricant
(Kodak, Fuji, Agfa, Konica, etc.)

Sensibilité du film
(64 ISO, 400 ISO, etc.)

Nom du film
(Kodachrome, Afgacolor Ultra, etc.)

Type de film
(diapositive, négatif couleur, négatif noir et blanc)

Nombre de poses
(12, 24, 36)

Numéro de code du film
(EL 135-36, RHP 135, etc.)

Éclairage pour lequel le film a été conçu
(lumière du jour, tungstène) ; cette indication figure parfois à l'intérieur du carton.

Procédé pour le traitement
(C-41, E-6, etc.)

Format du film
(35 mm, 110, etc.)

Date d'expiration du film
(les couleurs des films périmés peuvent être altérées).

QUESTIONS ET EXERCICE

Les questions portant sur le chapitre 7 illustrent des situations problématiques liées au choix des films. La fiche pratique qui les suit est facultative. Beaucoup d'amateurs utilisent toujours le même type de film – qu'il connaissent bien – et s'en satisfont. Ceux qui, par contre, seraient curieux d'expérimenter un nouveau type de film (une nouvelle marque, une autre sensibilité, par exemple) pourront, à l'aide de la fiche, procéder à une expérimentation systématique et étayer solidement leurs jugements. Cet exercice, s'il est fait consciencieusement, sera valable pour plusieurs années. Le temps et l'argent qu'on y consacrera seront amplement remboursés par une plus grande satisfaction dans les résultats obtenus par la suite.

L'exercice de la fiche pratique numéro 7 peut servir à comparer :

- des marques de film (Kodak, Agfa, Konica, etc.) ;
- des sensibilités de film (100 ISO, 400 ISO, 1600 ISO, etc.) ;
- des laboratoires : trois films absolument identiques développés chez trois commerçants différents.

Questions

1. Nous sommes en voyage à Venise où le temps est exceptionnellement gris et sombre. Pour prendre des photos des édifices pendant une promenade en gondole, devrait-on utiliser un film de 100 ISO ou de 400 ISO ?

Pourquoi ? _____

_____

2. Je veux photographier ma plate-bande. Avec un film de 100 ISO, mon posemètre indique 1/60 à f/4. Quelle vitesse aurai-je en conservant la même ouverture mais en utilisant un film de 200 ISO ? _____

_____

3. Mon arbre de Noël est superbe et je voudrais le photographier sans flash pour bien voir son illumination multicolore. J'hésite entre les films Kodacolor 200 ISO et 400 ISO de type jour.

Qu'en pensez-vous ? _____

_____

4. Je désire un agrandissement format affiche de mon voilier amarré au port. J'ai un appareil reflex 35 mm et dispose de deux rouleaux de pellicule : le premier a une sensibilité de 1000 ISO et le second de 100 ISO. Lequel devrais-je choisir ? Pourquoi ?

_____

_____

5. J'ai photographié ma fille en robe de noces dans un jardin de fleurs avec un film négatif couleur de 200 ISO. Mon film n'est pas terminé. Puis-je photographier l'échange des anneaux à l'intérieur de l'église ? Cette dernière est très éclairée par tous les lampions et les bougies de cérémonie, et mon posemètre indique 1/60 à f/5.6.

_____

_____

6. Puis-je photographier l'intérieur de mon magasin bien éclairé à l'aide de tubes fluorescents avec un film noir et blanc de 800 ISO ? _____

_____

7. Vrai ou faux ?

_____ *a)* Les valeurs ASA égalent les valeurs ISO.

_____ *b)* Avec un appareil bon marché, je ne puis obtenir des diapositives.

_____ *c)* Le film de 400 ISO permet l'utilisation de vitesses d'obturation plus rapides que celui de 50 ISO.

_____ *d)* Il me sera plus facile d'obtenir une grande profondeur de champ avec un film de 100 ISO qu'avec un film de 400 ISO.

Voir les réponses à la page 112.

OBJECTIF

Recueillir des données pour comparer judicieusement des types de films (marques ou ISO différents) ou des laboratoires (films identiques développés à des endroits différents).

MATÉRIEL NÉCESSAIRE

Un appareil photo 35 mm.
Trois films de 12 poses.

INSTRUCTIONS POUR LA PRISE DE VUES

- Déterminer à l'avance les sujets à photographier et effectuer l'exercice dans le plus court laps de temps. Des intervalles d'une journée ou même d'une heure amèneront des changements d'éclairage qui pourront fausser les résultats.

- Choisir une journée où l'éclairage est constant : éviter les ciels partiellement nuageux qui créent des alternances nuages-soleil.

- Choisir des sujets présentant une variété de couleurs. Il sera plus facile de porter des jugements sur les films.

- Choisir des sujets de son environnement immédiat. Il sera intéressant de comparer ensuite la photo avec l'original.

IDENTIFICATION DES FILMS

Film 1 _____

Film 2 _____

Film 3 _____

1	Un édifice
2, 3	Deux portraits différents (plan poitrine)
4, 5	Deux portraits différents (en pied)
6	La nature (arbre, feuillage, gazon, fleurs)
7	Arrangement de fruits ou de légumes diversement colorés
8, 9	Objets très colorés (rouge, jaune, bleu) : jouets d'enfants, bibelots
10, 11, 12	Environnement immédiat (voiture, maison, avec ou sans personnage)

FICHE PRATIQUE **7** Expérimentation

Le flash est devenu le fidèle compagnon de l'appareil photo, dont il est souvent même une composante. Jadis, la prise de vues à l'intérieur nécessitait l'emploi d'ampoules dont il fallait faire bonne provision, car chaque photo en nécessitait une nouvelle. Celles-ci ont été remplacées par le flash électronique, fixé sur le dessus ou le côté de l'appareil. De nos jours, à peu près tous les appareils photo, de la boîte jetable au reflex haut de gamme, sont munis d'un flash intégré.

Toutefois, la prise de photographies au flash est un art des plus difficiles à maîtriser à moins qu'on ne se satisfasse, comme se résignent à le faire trop de gens, de visages blanchis aux yeux rouges se profilant devant un arrière-plan ténébreux. Le présent chapitre comporte quelques conseils pratiques concernant l'utilisation de cet instrument magique mais mal connu et mal utilisé qu'est le flash. On distinguera le flash indépendant (FIGURE 8.1) de celui qui est intégré (FIGURE 8.2) à l'appareil. Il n'y a pas de différence dans le fonctionnement des flashes des appareils numériques ou argentiques.

FIGURE 8.1

Flash indépendant relié à l'appareil photo

FIGURE 8.2

Flash intégré à l'appareil photo

FONCTIONNEMENT DU FLASH

Le flash électronique, chargé de piles, est composé d'un réflecteur devant lequel passe un tube rempli d'un gaz, le xénon. Une décharge électrique établit le courant, produisant un court et brillant éclair équivalant à la lumière du jour. La durée de cet éclair peut varier de 1/1000 s à 1/40 000 s.

Le flash vient pallier les limites de l'éclairage disponible, rendant même possible la photographie dans l'obscurité. De plus, il permet de figer l'action, d'utiliser des pellicules de faible sensibilité et des ouvertures suffisamment petites pour acquérir une bonne profondeur de champ.

La puissance d'un flash s'évalue à l'aide d'un chiffre appelé « nombre-guide » dont on verra l'utilité pratique plus loin. On trouve cette information, en mètres ou en pieds – généralement indiquée pour 100 ISO –, dans la section « Caractéristiques techniques » des modes d'emploi. Plus le nombre-guide est élevé, meilleur est le rendement du flash. Les flashes intégrés (nombre-guide de 10, de 12 en mètres pour 100 ISO, par exemple) sont moins puissants que les flashes indépendants. Le nombre-guide de ces derniers sera de 36, de 40 ou même de 50 (calculé en mètres pour 100 ISO).

Avant d'utiliser un flash, il faut s'informer de sa portée, c'est-à-dire connaître les limites à l'intérieur desquelles on peut l'utiliser. La portée du flash varie avec la sensibilité du film et l'ouverture sélectionnée. Avec un film de 100 ISO, ou l'équivalent en numérique, le flash intégré a souvent une portée maximale d'environ 5 mètres alors qu'un flash indépendant éclairera trois ou jusqu'à quatre fois plus loin.

Le flash indépendant

Le flash indépendant est habituellement fixé à l'appareil photo par son pied, le sabot, que l'on insère dans la griffe porte-accessoire de l'appareil là où se fait le contact électronique qui déclenche le flash à l'ouverture de l'obturateur.

Tout comme la prise de vues à la lumière du jour, la photographie au flash nécessite le réglage de l'ouverture du diaphragme et celui de la vitesse pour obtenir une exposition adéquate. En ce qui concerne la vitesse, le déclenchement du flash doit être synchronisé avec le déplacement de l'obturateur à rideau; c'est pourquoi on doit régler la molette des vitesses sur le «X» ou sur une vitesse indiquée dans le mode d'emploi, à moins qu'un contact du sabot ne le détermine automatiquement. Traditionnellement, la synchronisation se faisait à 1/60 s ou 1/125 s. De nos jours, le flash peut être synchronisé à des vitesses plus rapides. Quant à l'ouverture, elle devait avec les premiers flashes être calculée par le photographe à partir du nombre-guide à l'aide de la formule suivante:

$$\frac{\text{Nombre-guide}}{\text{Distance du flash au sujet}} = \text{valeur «f» (ouverture du diaphragme)}$$

Par la suite, on a muni le dos des flashes indépendants d'un cadran calculateur, de consultation facile, qui permet d'éviter ces calculs contrariants. Réglé à partir de la sensibilité de la pellicule utilisée, le cadran indique à quelle ouverture la photo doit être prise selon la distance séparant le flash du sujet photographié (FIGURE 8.3). Sur les flashes les plus récents, le cadran a été remplacé par un écran à cristaux liquides donnant les mêmes indications.

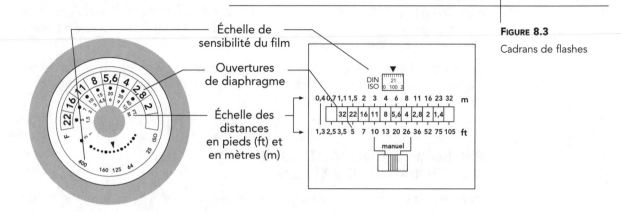

Échelle de sensibilité du film

Ouvertures de diaphragme

Échelle des distances en pieds (ft) et en mètres (m)

FIGURE 8.3

Cadrans de flashes

Avec le flash automatique, la durée de l'éclair s'ajuste automatiquement pour une exposition correcte : une cellule photoélectrique mesure la luminosité réfléchie par la scène et coupe la lumière quand l'exposition est suffisante. Les flashes conçus pour les appareils à mise au point automatique ont, pour leur part, un « illuminateur » qui vient assister le système d'autofocus dans des conditions de faible éclairage. Enfin, il est important de bien lire le mode d'emploi, car il peut y avoir beaucoup de différences d'un flash à l'autre.

Le flash intégré

La venue des systèmes intégrés aux appareils photo a beaucoup simplifié l'utilisation du flash qui, sur beaucoup d'appareils, se déclenche même automatiquement dès que le posemètre décèle que l'éclairage ambiant est trop faible pour la sensibilité de la pellicule utilisée. Tous les appareils perfectionnés comportent plusieurs fonctions d'utilisation du flash, désignées par divers symboles (FIGURE 8.4) :

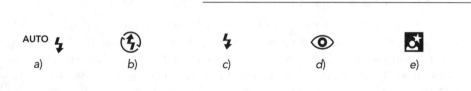

a)   b)   c)   d)   e)

FIGURE 8.4

Exemples de symboles d'utilisation du flash

a) Automatique

b) Flash annulé

c) Flash imposé

d) Réduction des yeux rouges

e) Synchro lente

En mode automatique, le flash est déclenché dès que la scène est insuffisamment éclairée. La fonction « flash annulé » permet d'utiliser des vitesses lentes avec trépied, en photographie de nuit, notamment, sans que le flash soit déclenché. Avec le « flash imposé », au contraire, le photographe peut commander un éclair quand il le juge nécessaire, en situation de contre-jour par exemple, comme on le verra plus loin. La fonction « réduction des yeux rouges » atténue cet effet désagréable, alors que la « synchro lente », rarement utilisée, déclenche le flash mais impose une vitesse lente : sur la photo, on trouvera un sujet de premier plan (une personne) éclairé par le flash et un fond exposé par la lumière ambiante (les lumières d'une ville au loin, la nuit). Cette dernière fonction nécessite l'usage d'un trépied à cause de la faible vitesse.

Ces fonctions sont utiles, mais elles ne règlent pas tous les problèmes causés par l'utilisation du flash. Nous verrons plus en détail les principaux d'entre ceux-ci.

PROBLÈMES COURANTS LIÉS À L'UTILISATION DU FLASH

La fiche pratique 8 a pour objectif de vous permettre d'expérimenter les erreurs les plus courantes dans la prise de photos au flash et de vous faire exercer les moyens d'y remédier. Chacune de ces situations problématiques nécessite toutefois un minimum d'explications préliminaires.

Les yeux rouges

Les yeux rouges sur une photo sont causés par la trop grande proximité de l'éclair du flash avec l'objectif. Les deux étant alors presque dans le même axe, la lumière éclaire la rétine irriguée de sang de l'œil si le sujet regarde l'appareil bien en face. On en voit un exemple dans la photographie couleur 26. Cet effet ne se produit qu'occasionnellement avec un flash fixé sur le dessus de l'appareil, mais devient très fréquent sur les flashes intégrés où la fenêtre du flash est très proche de l'objectif. C'est pourquoi les appareils récents offrent presque tous la position appelée « réduction » ou « atténuation » des yeux rouges. Le nom même de cette fonction dit bien qu'elle réduit le phénomène, mais, la plupart du temps, ne l'élimine pas totalement. En fait, le système « anti-yeux rouges » émet un ou plusieurs pré-éclairs avant le déclenchement de l'éclair principal ; ils provoquent la contraction de la rétine, ce qui réduit l'effet.

Avec un flash indépendant, on résoudra le problème en éloignant le flash de l'appareil auquel on le reliera à l'aide d'un câble ou encore en utilisant la technique de la lumière réfléchie (expliquée plus loin dans la rubrique « L'éclairage brutal »). Avec un flash intégré, on peut demander au sujet de diriger son regard à côté de l'appareil. Un bon éclairage de la pièce peut aussi réduire cet effet désagréable en rapetissant la pupille de l'œil du sujet.

Les arrière-plans trop sombres

Les gens surestiment souvent les capacités de leur flash. Des touristes photographient au flash l'intérieur de la cathédrale Notre-Dame de Paris avec un flash d'une portée maximale de cinq mètres ! Nous avons tous vu à la télévision, pendant la cérémonie de fermeture des Jeux olympiques, ces éclairs qui jaillissent sans arrêt de toutes parts dans la foule ; chacune de ces lumières correspond à une pose perdue, car il est impossible pour un seul flash d'éclairer un stade de cette ampleur. La figure 8.5 montre l'intérieur d'une chapelle prise avec un flash intégré à un appareil réglé à l'équivalent de 100 ISO. La lumière n'a bien éclairé que les colonnes et les prie-Dieu situés tout juste devant le photographe. Le chœur de l'édifice, sujet principal de la photo, reste sombre et sans détails.

Un flash a ses limites. Vérifiez, sur le mode d'emploi qui l'accompagne, quelle est la portée maximale de celui que vous possédez. Notez-le bien et ne photographiez jamais un sujet qui se situe dans l'ombre au-delà : vous gâcheriez la photo. L'un des exercices de la fiche pratique numéro 8 vous invite à prendre deux photos ainsi ratées, pour vous faire prendre conscience des limites de votre flash. Il n'y a pas de solution à ce problème. Seuls les professionnels équipés d'un système d'éclairage puissant, souvent plusieurs flashes synchronisés, réussissent à capter les grands monuments. Achetez plutôt leurs cartes postales…

Figure 8.5
Photographie comportant un arrière-plan trop sombre

Les reflets éblouissants

C'est une erreur fréquente que de gâcher une photo en y incluant une surface réfléchissante (porte vitrée, fenêtre, miroir, etc.) qui reflète l'éclair puissant du flash (Figure 8.6). Pour y remédier, il s'agit d'être attentif aux arrière-plans et d'éviter toute matière trop réfléchissante, photographiée de face. On peut également choisir un autre fond devant lequel placer son sujet : faire asseoir le père Noël dos à un rideau plutôt que devant une armoire vitrée, par exemple. Encore, la photographie prise à angle (de 40° à 60°) par rapport à la surface évitera cet écueil.

FIGURE 8.6

Photographie
comportant
des reflets
éblouissants

Les ombres disgracieuses

Les photos prises au flash présentent souvent des sujets bien éclairés mais auréolés d'une ombre très sombre qui se profile sur le mur derrière eux (FIGURE 8.7). La lumière brillante du flash occasionne ce dur et gênant contraste sur les photos. On peut y remédier en évitant de placer le sujet devant un fond pâle et en l'en éloignant. Les ombres seront toujours présentes, mais moins évidentes (FIGURE 8.8).

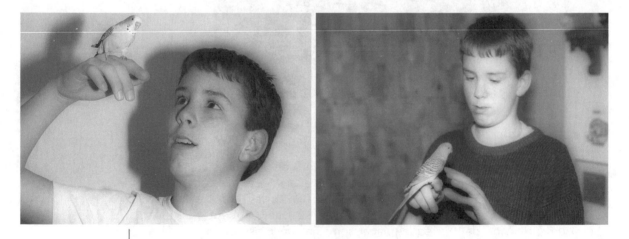

FIGURE 8.7

Photographie comportant
des ombres disgracieuses

FIGURE 8.8

Photographie comportant
une atténuation des ombres

L'éclairage brutal

Les photos prises avec une lumière dirigée de front sur le sujet donnent un éclairage suffisant mais dur et plat, qu'évitent les professionnels. Avec les flashes intégrés à l'appareil, il est impossible de contourner ce problème. L'amateur expérimenté qui aime faire de la photo de portrait aura avantage à se procurer un flash indépendant à tête basculante, qu'il fixera sur l'appareil ou encore qu'il tiendra à la main, indépendamment de l'appareil. La technique la plus populaire consiste à diriger l'éclair lumineux sur un plafond pâle ou encore sur un mur, à mi-chemin entre l'appareil et le sujet. La lumière rebondit sur cette surface puis s'étend uniformément, donnant un éclairage doux et sans ombres, beaucoup plus agréable. Les photos des figures 8.9 et 8.10 montrent l'écart entre l'éclairage direct plat et uniforme et l'éclairage indirect en lumière réfléchie, plus modelé, naturel et flatteur. On voit bien la différence sur le visage et les plis du vêtement. La figure 8.11 illustre la façon dont on a procédé dans les deux cas.

FIGURE 8.9
Photographie réalisée avec un éclairage direct

FIGURE 8.10
Photographie réalisée avec un éclairage indirect

FIGURE 8.11

Éclairage direct

Éclairage indirect au plafond

LE FLASH ET
LE CONTRE-JOUR

LE FLASH ET LE CONTRE-JOUR

Dans le chapitre 6, on a expliqué le problème posé par l'éclairage en contre-jour et montré comment la compensation d'exposition permettait d'éviter l'effet de silhouette non désiré. Jusqu'à il y a quelques années, cette manière de faire était à peu près la seule qui était pratiquée par les amateurs qui se baladaient rarement en plein jour avec leur flash. Cette solution reste très valable, mais, avec la venue des flashes intégrés à l'appareil, une autre possibilité s'offre à nous pour compenser le contre-jour : le « fill-in flash ». Cette expression anglaise, qui n'a pas son équivalent en français, désigne la technique par laquelle on déclenche le flash (FIGURE 8.4 C: FLASH IMPOSÉ) pour éclairer les ombres créées par le contre-jour. Les photographies couleur 27 et 28 démontrent bien l'efficacité de cette technique. La première photo a été prise selon les indications du posemètre, faussé par la grande luminosité de l'arrière-plan : le chat se profile en silhouette sombre, sans détails. La seconde photo a été captée avec un appareil comprenant un flash intégré réglé sur la fonction « flash imposé » : il en résulte un portrait correctement éclairé du chat.

De la même façon, le flash peut être utilisé à l'extérieur comme éclairage d'appoint pour éclaircir les ombres trop dures, par exemple au moment de la prise de portraits sous le soleil du midi. Un œil averti sur les images d'une revue de mode décèlera rapidement cet éclairage additionnel sur les modèles captés à l'extérieur, sur la plage, à une station de ski…

OBJECTIF

Reconnaître quelques problèmes courants liés à l'emploi du flash et expérimenter les moyens d'y remédier.

MATÉRIEL NÉCESSAIRE

Un appareil muni d'un flash indépendant ou intégré et un film de 12 poses (inversible ou négatif), ou encore un appareil numérique.

INSTRUCTIONS GÉNÉRALES
POUR LA PRISE DE VUES

- Se reporter aux notions théoriques du chapitre 8 pour plus d'information sur chacun des problèmes liés au flash.
- À l'exception de la photo 5 *a*, toutes les photos doivent être prises à l'aide d'un flash.

PHOTOS À PRENDRE

(indiquer le numéro de la photo dans le carré)

1 Les yeux rouges

Prendre deux portraits identiques vus de face (plan poitrine).

☐   *a)* Le sujet regarde le flash.

☐   *b)* Utiliser une des solutions énumérées dans le chapitre 8.

2 Les arrière-plans trop sombres (portée du flash)

Vue 1   *Vue 2*

☐   ☐

Prendre deux vues d'ensemble d'intérieurs vastes mal éclairés (église, aréna, salle de réception, grand salon, etc.).

3 Les reflets éblouissants

Prendre deux photos d'un même sujet.

☐   *a)* Placer le sujet devant une surface réfléchissante (miroir, fenêtre, etc.).

☐   *b)* Cadrer le sujet en se plaçant à angle par rapport à la surface réfléchissante ou éviter d'inclure celle-ci dans la photo.

4 Les ombres disgracieuses

Prendre deux photos d'un même sujet.

☐   *a)* Placer le sujet près d'un mur pâle (à un mètre environ).

☐   *b)* Éloigner le sujet du mur (choisir un autre mur qui n'est pas trop pâle).

5 Le flash et le contre-jour

Prendre deux photos d'un sujet en contre-jour (dos au soleil).

☐   *a)* Selon les indications du posemètre et sans utiliser le flash.

☐   *b)* En déclenchant le flash.

FICHE PRATIQUE **8** Expérimentation

RETOUR

❶ **Les yeux rouges**

Dans la photo *a*, les yeux du sujet seront peut-être plus ou moins rouges.
La photo *b* devrait atténuer ou contourner ce problème.

❷ **Les arrière-plans trop sombres (portée du flash)**

Les photos trop sombres devraient vous faire prendre conscience des limites de
votre flash. Il n'y a pas de solution à ce problème.

❸ **Les reflets éblouissants**

La photo *a* devrait inclure un éclair brillant, à cause du reflet du flash sur la surface
réfléchissante ; la photo *b* devrait en être exempte.

❹ **Les ombres disgracieuses**

La photo *a* devrait présenter un sujet auréolé d'ombres désagréables.
Celles-ci devraient être moins évidentes sur la photo *b*.

❺ **Le flash et le contre-jour**

La photo *a* devrait présenter un sujet sombre en silhouette sur fond clair.
Sur la photo *b*, le sujet devrait être bien éclairé.

9

Quelques accessoires de l'appareil photo et entretien

Les artistes exécutent de superbes dessins avec un crayon à mine sur une simple feuille de papier. De même, pour réussir une photo, il n'est besoin que d'un appareil photo et d'un film ou d'une carte mémoire. L'illustrateur et le photographe amateur se laisseront toutefois tenter, tôt ou tard, par la panoplie d'articles en vente dans les magasins spécialisés. Que faut-il penser de tous ces accessoires?

Certains d'entre eux amélioreront grandement la qualité du travail à accomplir si l'on s'en sert adéquatement. Ainsi, le trépied et les bonnettes d'approche seront au photographe ce que la table à dessin et le logiciel d'infographie sont à l'illustrateur: des outils utiles qu'un usage répété rendra vite indispensables. D'autres, par contre, resteront dans l'armoire parce que leur utilité avait été mal évaluée ou tout simplement parce qu'ils relèvent plus du gadget que du véritable outil. En ce domaine, chacun doit donc évaluer ses besoins en fonction de sa pratique photographique et de ses ressources financières.

Les accessoires dont il sera question ici sont les plus courants. Ils sont présentés de façon à faire connaître au débutant leur existence et leur utilité.

ACCESSOIRES ACCESSOIRES

Le trépied

ACCESSOIRES

FIGURE 9.1
Trépied

Le trépied (FIGURE 9.1) sert essentiellement à stabiliser l'appareil photo, permettant ainsi de travailler avec des vitesses faibles pour obtenir plus de profondeur de champ, par exemple. Il est indispensable en macrophotographie et en photographie de nuit, et servira, combiné à l'utilisation du retardateur, à inclure le photographe dans la photo. Le seul inconvénient du trépied est son encombrement et, encore là, il en existe des formats réduits. On pourrait classer les trépieds en deux catégories: lourds et stables d'une part, légers mais moins solides d'autre part. Il s'agit d'évaluer objectivement l'utilisation que l'on en fera et de faire un achat en conséquence. Le trépied qui servira uniquement à la prise de portraits en studio peut être plus volumineux, alors que celui que l'amateur de nature trimballera dans le bois devra se loger dans le sac à dos.

Le déclencheur souple ou la commande à distance

Le déclencheur souple et la commande à distance sans fil permettent d'actionner le déclencheur sans faire bouger l'appareil. L'un et l'autre sont utiles à des vitesses d'obturation très lentes.

Le pare-soleil

FIGURE 9.2
Pare-soleil

Pare-soleil

Le pare-soleil prend la forme d'un cylindre de métal ou de caoutchouc qui se fixe à l'objectif (FIGURE 9.2). En principe, il protège celui-ci de la lumière parasite qui pourrait faire des reflets indésirables ou voiler la photographie, en particulier dans les contre-jours. En pratique, il n'arrête que les rayons lumineux provenant d'angles bien étroits; sa principale utilité est de servir de pare-choc à l'objectif qu'il protège. Peu coûteux, c'est un accessoire qui, sans être indispensable, prouvera son utilité à l'occasion.

Les bonnettes d'approche

Beaucoup de gens sont at-
tirés par les fleurs, les insectes et les éléments de la
nature trop petits pour être
photographiés de près avec
un objectif normal. Les bon-

FIGURE 9.3
Bonnettes
d'approche

+1   +2   +4

nettes d'approche (en anglais *close-up lens*) sont des lentilles qui se fixent devant
l'objectif (FIGURE 9.3).

Agissant comme une loupe, les bonnettes réduisent la distance minimale de mise
au point d'un objectif, permettant la photographie en gros plans. Peu coûteuses,
elles constituent la façon la plus accessible d'aborder la macrophotographie. Elles
sont habituellement vendues en un ensemble de trois et se mesurent en dioptries,
comme les lunettes. Avec des bonnettes de +1, +2 et +4, toutes les combinaisons
de +1 à +7 sont possibles puisqu'on peut les visser l'une par-dessus l'autre. Elles
ont l'inconvénient d'ajouter une surface optique par-dessus celle de l'objectif qui
s'en trouve altéré, de sorte qu'un agrandissement important présentera probablement un certain flou dans les quatre coins de la photographie. Toutefois, beaucoup de gens ne feront pas de cas de ce phénomène qui sera compensé par le
plaisir de photographier leurs sujets préférés.

Les quatre photographies couleur 29 à 32 présentent une même scène photographiée avec des objectifs et des accessoires différents permettent de mesurer le grossissement possible avec les bonnettes d'approche. La photographie
numéro 29 a été prise avec un objectif grand angulaire de 28 mm ; elle couvre
toute la scène. Pour la photographie numéro 30, un objectif normal d'une focale
de 50 mm a été utilisé. Remarquez l'abeille tout près du bord de l'image, à droite.
Avec cet objectif, il est impossible de se rapprocher davantage du sujet. La
photographie numéro 31 présente une abeille captée avec les trois bonnettes
d'approche combinées +4, +2 et +1 (toujours attacher à l'objectif la plus haute
valeur en premier) ; la grosseur de l'abeille devient intéressante. La dernière photo
(numéro 32) a été prise avec un objectif macro qui a permis d'aller chercher des
insectes beaucoup plus petits. On peut comparer ceux-ci à l'abeille en se servant des parties de la fleur comme indicateurs de l'échelle. Le coûteux objectif
macro permet d'obtenir des grossissements de 1:1, c'est-à-dire que l'objet
photographié est aussi grand sur le négatif ou la diapositive que dans la réalité.
Beaucoup de zooms possèdent une position macro, mais le rapport de grossissement qu'il permet se tient en général dans les proportions de 1:4, l'objet étant,
sur l'image, quatre fois plus petit que dans la réalité.

Le doubleur de focale

Le doubleur de focale est un moyen économique de se procurer une seconde focale. Inséré entre le boîtier et l'objectif, il double la focale de ce dernier : l'objectif de 50 mm devient un 100 mm et le zoom 28–80 mm passe à 56–160 mm, par exemple. Le doubleur est léger et, malgré la perte de luminosité qu'il entraîne, il reste un accessoire intéressant.

Les filtres

Des dizaines de filtres font valoir leurs couleurs et leurs effets spéciaux sur les comptoirs des magasins. Beaucoup sont inutiles, surtout depuis l'avènement des logiciels de traitement de l'image qui permettent d'obtenir les mêmes effets spéciaux avec un meilleur contrôle et à moindre effort.

Un seul filtre par contre est tout à fait indispensable : c'est le filtre de protection, qu'il soit ultraviolet (UV) ou « skylight ». Presque incolore, il n'influence pas, en pratique, l'image photographiée. Son rôle est tout autre : protéger l'objectif des poussières, des chocs et des égratignures. En ce sens, il est nécessaire, surtout quand on considère le prix actuel des objectifs. L'achat d'un objectif photographique devrait toujours être accompagné de l'un ou de l'autre – peu importe lequel – de ces deux filtres.

Le filtre polarisant est un accessoire intéressant à conserver à portée de la main. Il atténue les reflets sur des surfaces lisses et réfléchissantes (eau, glaces des autos, vitrines, etc.). Il a aussi pour effet d'accentuer la saturation des couleurs lorsqu'il est utilisé en plein soleil, quand celui-ci forme un angle de 90° avec l'appareil. Le ciel bleu prendra un ton plus dramatique. Il ne faut toutefois pas laisser ce filtre en permanence devant l'objectif, car il est inutile sous un ciel nuageux et surtout parce qu'il occasionne une perte de luminosité d'au moins un cran.

Le capuchon de l'objectif

Si votre objectif est protégé par un filtre incolore, comme il devrait l'être, le capuchon devient inutile. Accessoire encombrant, il est lassant de sans cesse l'enlever et le remettre, d'autant plus qu'il freine la spontanéité devant les sujets intéressants et risque de vous faire rater des photos. Utilisez-le quand vous rangez votre appareil.

L'étui de l'appareil

Si, au moment de l'achat, on vous demande de débourser pour vous procurer un étui, réfléchissez bien et interrogez-vous sur vos besoins. Au lieu de l'étui de taille réduite qui épouse parfaitement les formes de l'appareil mais qui ne peut rien contenir d'autre, il est souvent préférable d'opter pour un sac rembourré, dans lequel vous pourrez tout mettre : appareil, objectifs, films, filtre polarisant, etc.

ENTRETIEN

Le nettoyage complet et la vérification d'un appareil photo sont des tâches réservées à des spécialistes. Le propriétaire de l'appareil pourra quand même prendre soin de celui-ci en le manipulant avec douceur et en prenant certaines précautions.

Le nettoyage

L'appareil photo inutilisé (ne serait-ce que pour une journée) doit toujours être rangé dans un étui ou un sac, à l'abri de la poussière.

Vous brosserez régulièrement l'extérieur de votre appareil avec une petite brosse à poils souples. Cette dernière vous servira aussi à nettoyer gentiment l'intérieur, si c'est nécessaire. Une règle à observer dans l'opération nettoyage : ne jamais toucher le miroir ou le rideau de votre appareil avec les doigts. Les spécialistes seuls peuvent les manipuler adéquatement.

Délicatement, brossez aussi les poussières hors de l'objectif. S'il y a des marques de doigt, servez-vous de papiers vendus expressément pour cet usage dans les magasins de matériel photographique. N'utilisez jamais un coin de votre chandail ou tout autre vêtement, au risque d'égratigner l'objectif.

Les piles

Les piles sont en quelque sorte l'« âme » de l'appareil photo. Elles ont en général une durée estimée à une année et n'avertissent pas avant de cesser de fonctionner. Il est bon de toujours en avoir une de rechange dans son sac, en cas de panne. Conservez-la dans son emballage initial et évitez de toucher les contacts avec les doigts.

L'eau, le sable

L'eau (la mer, la pluie, la neige) et le sable sont des ennemis de votre appareil photo. Ne vous empêchez pas de photographier à la plage ou à la montagne, mais prenez toutes les précautions nécessaires pour protéger votre appareil des éléments qui pourraient l'endommager; enveloppez-le toujours d'un sac de plastique pour le protéger quand il ne sert pas et, s'il pleut, cachez-le sous votre vêtement entre chaque pose.

Les films

Les films devraient toujours être conservés au froid, au réfrigérateur ou même au congélateur s'ils ne sont pas utilisés ou s'ils ne peuvent pas être développés immédiatement. La date d'expiration s'en trouvera prolongée d'autant.

La protection contre la perte de l'appareil

La fiche pratique numéro 9 vous servira à inscrire votre inventaire photographique. Remplissez-la et n'oubliez pas de la compléter à chaque nouvel achat. Joignez-y toutes vos factures ainsi que des photographies de tous ces objets. Déposez ce dossier en lieu sûr; vous le trouverez précieux en cas de vol ou d'incendie.

APPAREIL(S) PHOTO

Modèle _____

Numéro de série _____

Date d'achat _____

Prix à l'achat _____

Numéro de facture _____

Modèle _____

Numéro de série _____

Date d'achat _____

Prix à l'achat _____

Numéro de facture _____

OBJECTIF(S)

Modèle _____

Numéro de série _____

Date d'achat _____

Prix à l'achat _____

Numéro de facture _____

Modèle _____

Numéro de série _____

Date d'achat _____

Prix à l'achat _____

Numéro de facture _____

ACCESSOIRES

Description	Date d'achat	Prix à l'achat	Numéro de facture

FICHE PRATIQUE 9 Inventaire

CONCLUSION

CONCLUSION

Le présent ouvrage avait pour but de vous amener progressivement à faire une utilisation plus consciente et maîtrisée de votre appareil photo. Si vous avez bien compris la théorie et réalisé les exercices, vous devriez être en mesure de jouir pleinement de ce bijou de la technologie que vous avez payé si cher, sans craindre de rater vos photos d'événements importants.

Votre esprit devrait se libérer graduellement des préoccupations purement techniques. La manipulation de votre appareil sera de plus en plus machinale, tout en étant aussi efficace. Insensiblement, vous passerez alors à l'étape suivante : penser à la composition et vous exprimer par ce moyen. Vous ne vous concentrerez plus essentiellement sur l'ouverture et la vitesse, mais sur la qualité de la lumière et l'efficacité du cadrage. Vous profiterez alors pleinement du plaisir de photographier.

RÉPONSES
AUX QUESTIONS

RÉPONSES AUX QUESTIONS

Chapitre 4

1. f/8.

2. f/11.

3. 1/15.

4. 1/500.

5. f/8 à 1/30, f/11 à 1/15, f/16 à 1/8,

   f/4 à 1/125, f/2.8 à 1/250, f/2 à 1/500.

6. f/8.

7. 1/125 ou plus lent.

8. À 1/30, il faut adopter une prise ferme et déclencher avec précaution. À 1/15 et à toutes les vitesses plus lentes, il faut absolument utiliser un support pour stabiliser l'appareil.

9. 1/500 à f/2.8 devrait figer l'appareil, mais, s'il se déplace à une vitesse très rapide, il faudra peut-être 1/1000 à f/2.

10. a) V   b) F   c) V   d) V   e) V   f) V

Chapitre 5

1. f/11.

2. À l'infini.

3. Non, car la distance qui sépare mon appareil du cœur de la fleur est très courte.

4. Non, car les longues focales offrent moins de profondeur de champ que les focales plus courtes.

5. Étendue, car j'utilise un grand angulaire, à petite ouverture, en faisant une mise au point sur un sujet éloigné.

6. Celui qui fait la mise au point sur un sujet éloigné aura le plus de profondeur de champ.

7. En réglant l'objectif sur une grande ouverture, les poubelles seront floues.

8. Oui, en ce qui concerne l'exposition (*voir au chapitre 4*); non, en ce qui concerne la profondeur de champ qui sera plus réduite à f/5.6.

9. À ouverture égale, le zoom réglé à 210 mm donnera moins de profondeur de champ qu'à 70 mm.

10. a) V   b) F   c) V

Chapitre 6

1. Il faut suivre les indications du posemètre qui « verra » une silhouette sombre sur fond de soleil couchant.

2. Non, car le posemètre aura tendance à exagérer l'importance de la zone claire et il sous-exposera le fiancé. Il faut faire une lecture rapprochée de ce dernier.

3. Non, car il s'agit d'un contre-jour. Il faut faire une lecture rapprochée.

4. Faire une lecture rapprochée de son visage ou faire des essais et prendre plusieurs photos en utilisant le bouton de compensation d'exposition à $+1/2$, +1 et $+1^1/_2$.

5. Non, car il risque d'être faussé par le contraste ; je devrai faire une lecture sur chacun des sujets et exposer selon la moyenne des deux.

6. Faire une lecture sur la zone d'ombre puis une autre sur la cathédrale, et exposer selon la moyenne.

7. Si la luminosité des enseignes est très forte, on peut se fier à la lecture du posemètre. Stabiliser l'appareil si la vitesse qu'il dicte est au-dessous de 1/60s.

8. Un contre-jour d'intensité moyenne sera généralement compensé en augmentant l'exposition d'un cran et demi.

Chapitre 7

1. On choisira le 400 ISO, en raison de sa plus grande sensibilité qui permettra une vitesse plus rapide, étant donné que le temps est sombre et que la gondole est en mouvement.

2. On aura 1/125 à f/4, car le film de 200 ISO est deux fois plus sensible que le premier.

3. Aucun des deux films ne donnera satisfaction, car les photos seront uniformément voilées jaune-orangé à cause de l'éclairage au tungstène des ampoules de la guirlande électrique qui entoure le sapin.

4. Celui de 100 ISO. L'agrandissement en format affiche d'un négatif 35 mm de 1000 ISO n'aura pas une bonne définition. Il y aura trop de grain.

5. Non, car les lampions et les bougies donneront une photo jaune. Il faudra utiliser un flash.

6. Oui, car le film noir et blanc n'est pas sensible à la couleur verte des tubes fluorescents.

7. a) Vrai. ASA constitue l'ancienne dénomination ; ISO l'a remplacée.

   b) Faux. Beaucoup d'appareils bon marché utilisent le format 35 mm pour lequel il existe plusieurs films inversibles.

   c) Vrai. Il est plus sensible.

   d) Faux. Plus le film est sensible, plus il permet de fermer le diaphragme, d'où une plus grande profondeur de champ.

INDEX

INDEX

MEMBRE DU GROUPE SCABRINI

Québec, Canada
2006